Willi Massa / William Johnston
Wagnis der Begegnung

Inhalt

Vorwort

Meditation ist zum Schlagwort geworden – den einen eine Hoffnung auf Vertiefung ihres inneren Lebens, den anderen ein Ärgernis, das angesichts des unüberschaubaren Angebots fremdländischer Spiritualität entsteht. Sichtbar wird der geistige Hunger der jungen Generation im Irrweg des Drogenkonsums, in den großen Scharen, die sich den sogenannten Jugendreligionen anschließen, aber auch in den immer zahlreicher werdenden Zentren für Meditation und Kontemplation christlicher Prägung.

Im christlichen Bereich sind als Bahnbrecher einer vertieften und erneuerten Spiritualität religiöser Erfahrung die Altmeister *P. Enomiya-Lassalle SJ* und *Karlfried Graf Dürckheim* zu nennen. Ersterer Gründer des ersten christlichen Zen-Zentrums in Japan, letzterer Gründer der „Initiatischen Schule" im Schwarzwald, dessen Impulse aus der Erneuerungsbewegung der christlichen Mystik nicht wegzudenken sind.

Beiden geht es um die geistliche Begegnung der großen religiösen Kulturen in West und Ost. Sie haben das Wagnis auf sich genommen. Ihr Mut hat vielen die Kraft gegeben, sich einzulassen auf die Ungesichertheit des inneren Weges, im Vertrauen auf die Führung des ewigen Meisters, der für Christen in Jesus Christus sichtbar geworden ist.

Die Beiträge dieses Bandes sind Zeichen dieses Wagnisses der Begegnung. Die Vorträge von *W. Massa* machen die unterschiedliche Erfahrung in Ost und West deutlich und fragen nach der Bereicherung im Sinne des paulinischen Wortes: „Prüft alles; was gut ist, behaltet" (1 Thess 5, 21).

Dann wird ein konkreter Übungsweg christlicher Mystik dem Weg des Zen gegenübergestellt.

Der Beitrag von *W. Johnston SJ* ist das ergänzende Nachwort zur 2. Auflage seines Buches *„Christian Zen"* (Harper & Row, New York 1979), das noch nicht in deutscher Sprache veröffentlicht wurde.

Willi Massa

Die spirituelle Chance in der Begegnung von West und Ost

Angesichts der heutigen Situation der Menschheits-
entwicklung sollen einige sich anbahnende Entwick-
lungslinien in Beziehung zueinander gebracht werden. Damit soll deutlich werden, welche Chancen für
die Zukunft uns daraus erwachsen. Wir stehen im
Zeitalter der Planetisation, der wachsenden Verflech-
tung aller Kontinente, des tiefgreifenden Kulturaus-
tausches.

1. Planetisation

Der Ausdruck stammt von Teilhard de Chardin und
meint das Phänomen der Schrumpfung unseres Welt-
erlebens, das sich in diesem Jahrhundert immer mehr
ins Bewußtsein drängt.

a) Schrumpfende Welt

Die unendliche Weite, die die Welt in den vergangenen Jahrtausenden bis in die letzten Jahrzehnte hatte,
schrumpft zusammen. Zwar sprechen wir immer
noch vom „Fernen" Osten, obwohl wir wissen, wie
schnell man per Jet im Fernen Osten ist. Noch vor drei-
ßig Jahren war es eine Monatsreise mit den schnellsten
Schiffen. Um die Jahrhundertwende war man fast ein
Vierteljahr unterwegs, und vor 200 Jahren brauchte
die Post beispielsweise nach Indien anderthalb Jahre
und mußte zehnfach abgeschickt werden, um sicher-
zustellen, daß wenigstens *ein* Brief ankam. Wir sprechen noch heute vom Fernen Osten, obgleich er uns so
nahe ist – in der japanischen Toyota-Werkstätte, in
den neuesten Transistoren und Elektronenrechnern
und den Textilien aus Kambodscha.

Sehen wir auf dem Fernsehschirm aus der Mondfahrerkapsel zurück zum Trabanten Erde, kann uns ganz eigenartig zumute werden. Wir können unsere Erde buchstäblich überblicken, mit einem einzigen Blick erfassen, was keine Generation vor uns je tun konnte. Wir gewöhnen uns an das allabendliche Bild des Wettersatelliten, der vom Nordpol bis Nordafrika die Großwetterlage zeigt. Mit einem einzigen Blick überschauen wir die Konstellation der Großwetterlage, was ebenfalls noch keine Generation vor uns erkennen konnte.

Die Erde schrumpft, die Dimensionen werden kleiner, nicht nur vom Abstand eines Satelliten aus gesehen. Auch unsere Wirtschaft rückt zusammen, verflicht sich, so daß nirgendwo etwas wirtschaftlich Entscheidendes geschehen kann, ohne sämtliche Nationen zu beeinflussen. Sobald der Ölhahn im Nahen Osten etwas zugedreht wird, kosten die Plastiktaschen im Edeka zehn Pfennig. So hängt bereits heute schon die Weltwirtschaft zusammen. Wir wissen, daß die Zukunft der Menschheit nicht mehr im Westen allein entschieden wird, noch im Osten, sondern nur im gemeinsamen West-Ost-Bemühen und künftig auch im Gespräch zwischen Nord und Süd.

Teilhard schreibt bereits in seinem Werk „Der Mensch im Kosmos"[1]: „Völker und Zivilisation sind an einem so hohen Grad des Grenzkontaktes angelangt, oder der gegenseitigen wirtschaftlichen Abhängigkeit, oder auch psychischer Gemeinsamkeit, daß sie nur noch im wechselseitigen Durchdringen wachsen können." Dieser geschichtliche Vorgang der Plane-

---

[1] *Teilhard de Chardin,* Der Mensch im Kosmos. C. H. Beck, München 1981.

tisation, wie er ihn nennt, ist ein prophetisches Wort, obwohl er als nüchterner Wissenschaftler schreibt. Ein prophetisches Wort, das uns auf den Kopf zusagt, was die Stunde geschlagen hat. Er sagt nüchtern: Wer nicht an diesem Vorgang der Planetisation teilhaben kann oder will, bleibt als Wrack am Weg der Evolution des Lebens liegen, gleich, ob es sich um einen Einzelmenschen handelt oder um eine Gruppe; gleich, ob religiös oder wirtschaftlich oder national geprägt. Der Weg geht in diese Zukunft, und wer nicht daran teilhaben will, indem er sich abschließt, sperrt sich dem Strom des Lebens.

b) Entwicklung auf Einheit hin

In diesem Ausdruck „Planetisation" ist auch enthalten, daß die bisherige Menschheitsgeschichte eine Geschichte von Bruchstücken der Menschheit war. So sprechen wir von Kulturkreisen und Rassen, von Hochreligionen, von Naturreligionen. Diese unterschiedlichen kulturellen Ausprägungen trennten bisher die Menschheit. Wie sehr Sprachen trennen, wird leicht deutlich, wenn wir in den Nahen Osten gehen, wobei China und Japan jetzt in planetarischer Perspektive „Naher Osten" sind. Hier verstehen wir nichts mehr. Wir können keine Aufschrift lesen, weil sie nicht die westlichen Schriftzeichen gebrauchen, und wenn wir sie lesen könnten, würden wir noch immer nichts verstehen. Und selbst wenn wir die Sprache etwas verstehen, fällt es uns schwer, den ganzen geistigen Hintergrund zu begreifen. Hier stehen zwei erratische Kulturblöcke einander gegenüber mit einer über Jahrtausende getrennt verlaufenden Entwicklung bis in die Sprache hinein, bis in die Religion, in das kulturelle Gehaben, so daß es eben wirklich fremde Länder sind, ferne Lande, der Ferne Osten.

Im Phänomen der getrennten Kulturentwicklung zeigt sich etwas Strukturelles. Bis heute wurde das Überleben der Kulturen gewährleistet durch Trennung und Einzelentwicklung. Die Geschichte vom Turmbau zu Babel illustriert dies deutlich. Sie zeigt, wie die Sprachen die Menschen trennen, sie sich nicht mehr verständigen und auseinanderziehen, Grenzen stecken und keinen Kontakt mehr miteinander haben und so ihre Eigengestalt entwickeln. Die Bibel sieht dies für so entscheidend an, daß diese Eigenständigkeit als göttliches Gebot dargestellt wird. Der Mensch und die Kulturen müssen erst reif werden, erwachsen und selbständig sein, bevor sie sich vereinigen können. Erst muß individuelle Gestalt geworden sein, bevor Partnerschaft möglich ist. Das gilt für den Einzelmenschen wie für die Kulturen. Bisher mußten sie aus dem gemeinsamen Vaterhaus ausziehen, ihre Eigengestalt finden – der Japaner die seine, der Inder die seine, der Chinese die seine, die Australier und die Afrikaner die ihre, die Südamerikaner die ihre, um heute mit ihrer gewordenen Gestalt in die Phase der Partnerschaft eintreten zu können. Stand bisher über der Menschheitsgeschichte: Exodus, Auszug, Trennung, so heißt es jetzt: *Eis*odus, Einzug, Hineinwachsen in die fremde, andersartige Kultur. Wir sehen heute vielleicht gerade am Beispiel Nord und Süd, wie der afrikanische Kontinent, noch nicht ganz im Besitz seiner individuellen Reifeform und darum noch nicht fähig zur gegenseitigen partnerschaftlichen Durchdringung des kulturellen Gutes, diese Individualentwicklung unter schweren Krisen in ungeheurem Tempo nachholt. Wozu wir im Abendland fast tausend Jahre psychische Zeit hatten, sollen die Menschen Afrikas in zwei Generationen aufholen. Das Ergebnis sind ungeheure Spannungen und Konflikte sozialer, militärischer und religiöser Art. Es sind pubertäre Entwicklungskrisen einer Großkultur. Wenn sie ihre „Afrikanisation", wie sie es nennen, gefunden haben, können sie ihren Reichtum in den Eisodus, das gemeinsame Gestalten der Kultur, einbringen.

Zusammenfassend möchte ich sagen: Wir stehen in einer Zeit der Planetisation. Die Menschheit wird nur noch gemeinsam die Zukunft gestalten und nicht mehr auf der Basis von Trennung, Einzelentwicklung und Isolation. Dafür wurde bereits ein politisches Instrument geschaffen, die UNO. Sie ist Ausdruck dieser neuen Mentalität, wenngleich das Instrument noch nicht voll seinen Sinn erfüllt. Es zeigt aber an, in welcher Weise die Menschheit ihre Zukunft gestalten wird.

2. Das Fremde als uns verborgene Möglichkeit

a) Das Fremde ängstigt und fasziniert

So treffen nun Fremde auf Fremde. Was geschieht? Auf unseren Straßen können wir es selbst erleben. Überall, wo man auf Fremdes trifft, taucht Angst und Faszination zugleich auf: Angst als Vorsicht vor dem Unbekannten, Faszination als Ahnung, daß das Fremde die mir noch nicht zugängliche Möglichkeit meiner selbst ist, die auch in meinem Menschsein schlummert und die gerade in der Begegnung mit dem ganz Andersartigen wachgerufen werden kann. Wenn bisher unsere Form der Kultur, der Religion und der menschlichen Sitte gegen fremde Form stand, Eigenes gegen Fremdes, das Vertraute gegen das angstmachende Fremde, so taucht jetzt im Neuen, im Fremden die eigene Chance auf.

b) Das Fremde als unsere noch verborgene Möglichkeit

Das Fremde erscheint als verborgene geheime Möglichkeit meiner selbst bzw. unserer westlichen Kultur. C. G. Jung versuchte im Symbol von Animus und Anima diese beiden Grundaspekte unserer menschlichen Psyche, den weiblichen und den männlichen Aspekt, zum Ausdruck zu bringen. Er meint damit, der Mann muß, um ganz Mann zu werden, seine Anima, seine weibliche Seite erwecken. Damit er sie wecken und integrieren kann, wird ihm die Frau geschenkt. Die Frau wiederum hat ihre männliche Seite zu entwickeln, um ganz Frau, ganz Partnerin sein zu können. Dürckheim nimmt das Modell von Animus und Anima, von weiblichem und männlichem Charakterzug, zur Beschreibung der kulturpsychologischen Situation zwischen West und Ost. Dabei versteht er Ost und West nicht als geographischen Osten und geographischen Westen, sondern als die beiden großen Möglichkeiten der Kulturpsyche der Menschheit, das männliche und weibliche Prinzip. Was im geographischen Osten sich besonders stark und auch in einer gewissen Einseitigkeit entwickelt hat – die Intuition, die spirituelle Empfängnisfähigkeit, dem Animabild Jungs entsprechend – und was sich im Westen in einer großen Einseitigkeit in Richtung des Animus, des Intellekts entwickelt hat, verlangt heute nach Integration. Was im Osten sichtbar geworden ist, das ist gleichsam die verborgene Möglichkeit des Westens, und was im Westen sichtbar geworden ist, ist die große noch nicht realisierte Möglichkeit für den Osten. Darin liegt die Chance, daß wir Neues entdecken. – Ja, ich darf noch nicht einmal sagen: Neues entdecken, sondern Unbekanntes unserer eigenen Psyche entdecken, sowohl der Individualpsyche wie der Kollektivpsyche.

War es bisher so, daß in der getrennten Kulturentwicklung gleichsam das weiße Licht des Menschseins sich im Prisma der Kulturen in Farben zerlegte, so erleben wir heute, wie die Farben sich vereinen wie in einer Sammellinse zum weißen Licht des einen Lebens der Menschheit. Es wird wieder vereint, nicht aufgespalten in getrennte Farben.

Betrachten wir es auf der religiösen Ebene: Auch dort hat sich die Offenbarung des einen Lebens auseinandergefaltet in den Religionen der Menschheit. Dabei sollten wir bedenken, daß Christus nicht eine neue Religion gebracht hat, sondern eine neue Form von Menschsein. Zwar hat sich daraus wieder eine neue Religionsform entwickelt, die wir Christenheit nennen. Aber diese westliche Christenheit – um ein Wort von Légaut aufzugreifen – muß sterben. Die Kirche muß sterben, wenn sie eine Zukunft haben soll für die Menschheit. Das heißt, was aus dem Impuls Jesu wurde, nahm westliche Form an und ist insofern legitim, als es einen Impuls Jesu aufgenommen und bewahrt hat. Aber wenn wir meinen, was Christus verkörpert, sei völlig eingegangen in die westliche Christenheit, dann spalten wir Christus und sehen die andere Hälfte nicht, die sich im Osten verkörpert. Wir vergessen diese andere Möglichkeit, die sich zwar im Menschen Jesus in einer Ganzheit realisiert hat, die aber im Blick auf die Zukunft der Menschheit noch aussteht, weshalb Teilhard in einer großartigen Vision sagen kann: „Der gesamte Menschheitsprozeß läuft auf einen Punkt Omega hinaus."

Dieser Punkt Omega ist für ihn die Kollektivgestalt der Menschheit, in der sich die Art Jesu, Mensch zu sein, verwirklicht hat. Jesus von Nazaret ist der Prototyp des kommenden Menschen. Das sind kühne Gedanken; viele Christen bekommen einen Schauer, wenn sie auf diese Weise ihr Christsein betrachten und die Relativität unserer gewordenen Christlichkeit. Denn wir sind ja tatsächlich mit dieser im Westen gewordenen Christlichkeit blind in den Osten gezogen, um zu missionieren – mit dem besten Willen natürlich, denn wir waren überzeugt, die Botschaft Christi für die Menschheit in Händen zu haben. Doch dabei verwechselten wir eine gotische Kirche mit jenem Tempel, den Christus bauen wollte. Sie finden dann beispielsweise in Nagoya eine gotische Kathedrale in Beton gegossen neben den buddhistischen Tempeln, als Ausdruck christlicher Lebensform.

Diese Phase ist heute vorbei und erschütterte die christliche Mission Asiens bis in den Grund. Denken Sie nur an die Auseinandersetzung der letzten Jahre mit der Religionspädagogik von Halbfas. Er sagte nüchtern: Unsere Aufgabe ist, aus dem Hindu einen besseren Hindu zu machen und aus dem Buddhisten einen besseren Buddhisten. Er wurde als Ketzer verschrien. Man begriff nicht, was er damit meinte. Er meinte, die Sendung Christi bestehe darin, die humane Potenz des Menschen herauszurufen zur Reife – und die humane Potenz, die Realisierung des Menschen als Ebenbild des Schöpfers, zeigt sich bei einem Inder in einer indischen Form, beim Europäer in einer europäischen Form; beiden ist das Menschsein aufgegeben, und wir haben nicht den Auftrag, einen Inder zu einem Europäer zu machen, damit er Christ sein kann, sondern ihm als Inder den Weg Christi zu zeigen und dem Japaner die Nachfolge Christi japanisch zu ermöglichen. Dabei ist selbstverständlich, daß ein Inder anders religiös lebt und auch die Botschaft Christi anders auslegt als ein Europäer.

Diese universale Sicht wurde im Zweiten Vatikanischen Konzil, dem großen Reformkonzil der 60er Jahre, wenigstens theoretisch akzeptiert und anerkannt, ist aber offensichtlich so umstürzend für die meisten Christen, daß wir daran sind, voller Angst die Öffnung zu schließen. Wir machen die Fenster zu, weil wir uns bei dem frischen Wind erkältet haben. Doch der Wind Gottes läßt sich nicht aufhalten. Es beginnt eine neue Phase innerhalb der Menschheit: das Aufeinander-zu-Rücken.

c) Falsche Wege

Dieses Aufeinander-zu-Rücken möchten wir noch mit den alten Mechanismen bewältigen, die bisher galten, mit Abgrenzung und Vernichtung des bedrohlichen Fremden. Unsere politische Wirklichkeit dokumentiert, daß wir dem Auftrag unserer heutigen Stunde noch nicht gewachsen sind. Als hochintelligente Völker investieren wir einen Großteil unseres Nationalproduktes in Waffen. Für jeden denkenden Menschen ist das absurd, aber psychisch notwendig, da wir nicht Herr über unsere Ängste werden. Es gilt weiterhin: Wer mehr Angst einjagen kann, hat mehr Macht. Noch heute ist das alte Modell von Kain und Abel wirksam: damals die Keule, heute Überschalljäger und

Neutronenbombe. Doch dieses Verhaltensmodell gibt keine Chance für die Zukunft.

3. Der Dialog

a) Der Beginn

Wie können wir eine psychologische Entwicklung herbeiführen, die eine Basis abgibt für die Menschheit der Zukunft? Verlangt ist die Überwindung der Angst vor dem Fremden, dem Unbekannten, und das Eintreten in einen Dialog. Ob das der Dialog ist zwischen Katholiken und Evangelischen, zwischen West- und Ostkirche, zwischen Christen, Buddhisten, Hindus und Moslems, der Dialog wird geführt werden müssen auf der Basis radikal menschlicher Erfahrung. Es wird nicht mehr zuerst gefragt: Ist dieses wahr und jenes falsch? Ist Gott persönlich oder unpersönlich? – was letztlich bereits eine Interpretation und Reflexion von Erfahrung bedeutet. Heute ist zu fragen: Wie läßt sich meine Grunderfahrung von dem, was mich absolut angeht, auslegen, und wie kann ich meine Grunderfahrung, die ich als Mensch des Westens mache, austauschen mit einem Menschen des Ostens? Daran schließt sich die Frage nach der Praxis: Wie bereitest du dich? Unter welchen Voraussetzungen machst du solche Erfahrungen? Hier steht nicht Bekenntnis gegen Bekenntnis auf der Ebene der Formulierung; da tauschen sich Menschen aus auf der Suche nach der Wahrheit des Lebens. So können sie sich Schätze schenken, die sie auf diesem Weg gefunden haben. Die Dialogpartner gehen auseinander und sind reicher geworden. Sie gehen nicht auseinander mit dem Bewußtsein: Dem habe ich gezeigt, daß wir die Wahrheit haben. So soll ein Japan-Missionar einmal gesagt haben: Ich machte eine seltsame Entdeckung: Immer, wenn ich den Buddhisten klar gemacht habe, daß Christus Gottes Sohn ist, kamen sie nicht mehr zum Unterricht. Wie soll ich das verstehen? Da sagte ihm ein anderer: Weißt du, es ist so schwer für einen Besiegten, nochmal zum Sieger zu gehen. Er war besiegt durch die Logik westlicher Theologie, aber war nicht gewonnen. Es war kein Dialog, sondern eine Auseinandersetzung.

Diese Diskrepanzen gehen schon zurück auf Franz Xaver. Es ist amüsant zu lesen, wie er mit Zen-Mönchen spricht und dann nach Rom schreibt: Es sind seltsame Menschen. Sie glauben, daß sie keine Seele haben. Ein Zen-Meister sagt natürlich auf die Frage, ob er eine Seele habe: Ich habe keine! Er *ist* Seele und das „Haben" einer Seele kann er überhaupt nicht vollziehen wie wir, die wir denken, einen Geist, eine Seele und einen Körper zu haben. Ein Asiate, der Seele „ist", der Leib ist, kann sich in solchen Denkformen nicht verstehen. Interessant zu lesen, wie selbst ein so großer Geist wie Franz Xaver, die Antwort auslegt und sagt: Wir müssen sie belehren, daß der Mensch eine unsterbliche Seele hat, die entweder in die Hölle kommen kann oder in den Himmel. Wehe, wenn diese Menschen das nicht verstehen, dann laufen sie direkt ins Verderben. Das war kein Dialog, sondern ein Zusammenstoß zweier Kulturformen. Heute sind wir auf einer Reflexionsstufe angelangt, die die Bedingtheiten menschlicher Sprache erkennt und damit einen Dialog ermöglicht.

b) Der Preis des Dialogs

Der erste Preis, den wir zahlen müssen, ist die Infrage-
stellung von Grundauffassungen, die bisher als unan-
tastbar galten, wie beispielsweise das Verständnis von
Gott als Schöpfer, als persönlichem Gott. Denken Sie
an die Auseinandersetzung zwischen Prof. Rahner
und Erzbischof Höffner auf der Würzburger Synode.
Der Erzbischof sagte: Wir müssen daran festhalten,
daß Christus Gottes Sohn ist. Und Rahner dagegen:
Selbstverständlich, aber da beginnt erst das Fragen.
Was meinen Sie denn, wenn Sie Christus als Gottes
Sohn bezeichnen? Das müssen Sie aufschlüsseln und
nicht als Formel stehen lassen.

Beispiele für den Dialog der Kulturen:
Also Aufgeben solcher Positionen! In der Zeitschrift
„Orientierung"[2] machte ein chinesischer Jesuit den
Versuch, die *Kategorie der Einheit des chinesischen
Universismus* zu benutzen, um die Beziehung zwischen Gott und Mensch zu charakterisieren, die im
westlichen Kulturbereich, vor allem im biblischen, im
Schema der Ich-Du-Beziehung dargestellt wird, also in
der *personalen Kategorie*. Bei diesem Versuch wird
hinter die sprachlichen Formulierungen zurückgegrif-
fen, um die gemeinsame Grunderfahrung ins Wort zu
bringen. Wird im personalen Schema die Beziehung
von Mensch und Gott ausgedrückt in Vorstellungen
wie: Gott spricht, fordert, liebt mich, vergibt mir, ich
und du – diese Redeweise zieht sich durch die ganze
nomadische Tradition des Judenvolkes –, so spricht
die Kategorie der Einheit völlig anders. Dann heißt es

---

[2] *A. B. Chang SJ*, Chinesischer Himmel und christlicher Gott. In:
„Orientierung" 4, 41, 1978. S. 40 ff.

zum Beispiel: „Das universale Leben der Welt treibt an und fließt immerzu; es erfüllt mit seinem Gutsein die ganze Menschheit und bringt sie zu immer größerer Kommunion. Die Geistseele der Menschheit beginnt in leerem Zustand, wächst ohne Schaden, pflegt ihre innere Kraft in Entsprechung zum ‚Himmel' und seinem Gutsein; sie entfaltet sich mächtig zu lauterer Lebensfülle. ‚Himmel' und Mensch werden eine Harmonie, Menschen verkehren miteinander, Mensch und Dinge entsprechen sich, überall erfährt man die Kraft und strebt weiter zum Gutsein." Hier wird nicht mit Ausdrücken einer persönlichen Beziehung gesprochen, und doch wird hier eine Grunderfahrung ins Wort gehoben, die auch der personalen Ausdrucksweise zugrundeliegt, nämlich daß das universale Leben den Menschen treibt. Dies „Treiben" kann ich auch als Ruf erleben und sagen: Der Vater ruft mich. Das „Teilgeben am Gutsein" kann ich in personaler Sprache als Geliebtwerden und Fähig-Sein zum Lieben ausdrücken. „Vergebung" kann ich so erfahren: das Gute ist immer größer als das Böse, und so überwindet das Gute das Böse. In personaler Kategorie nennt man es „Sünde" und „Vergebung".

Wir erkennen heute, daß man mit verschiedener Sprachlichkeit gleiche Grunderfahrungen aussprechen kann, da die Menschheitserfahrungen zum Grund unseres Menschseins gehören. Einen solchen Dialog führt beispielsweise P. Dumoulin SJ, Tokio. Das jüngste Büchlein „Begegnung mit dem Buddhismus"[3] ist ein glänzendes Beispiel dafür. Er fragt ständig

---

[3] *Heinrich Dumoulin,* Begegnung mit dem Buddhismus. Eine Einführung. Herder Verlag, Freiburg/Br. ²1982 (= Herder-Bücherei, Bd. 642).

zurück. Was meint z. B. ein Christ, wenn er von Erb-
sünde spricht? Wenn es etwas ist, das zum Menschen
gehört, zur Grunderfahrung des Menschen, wie
spricht denn dann ein Hindu oder ein Buddhist über
das, was in seinem Leben ja auch vorkommt? Und
wenn dieser von der Erfahrung der Liebe und von dem
Immer-größer-Sein-des-Guten spricht, wie spricht
denn dann der Christ darüber? Es geht um die Entdek-
kung der Gemeinsamkeiten, um aus den Gemeinsamkeiten auch die Verschiedenheiten zu begreifen, sie
dadurch relativieren zu können, damit sie nicht zu
trennenden Positionen werden, sondern zu einem be-
fruchtenden Austausch führen. Jeder Blick sieht die
Wahrheit anders und entdeckt neue Aspekte der einen
universalen Wahrheit und bereichert darum den anderen. Dumoulin sieht in der Unterschiedlichkeit gera-
dezu das Wirken des Heiligen Geistes, der die Menschheit Schritt für Schritt immer tiefer in die Wahrheit
des Lebens einführt, wie Jesus es versprochen hat.

c) Vertrauen in die Führung Gottes

Dialog verlangt also Aufgabe von gewohnten Stand-
punkten und als zweites, die damit aufbrechende
Angst in einem Urvertrauen zu überwinden. Was
einst von Abraham gefordert wurde, auszuziehen aus
der Religion seiner Väter und damit auch auszuziehen
aus seiner Kultur, wird heute wieder verlangt: „Zieh
aus von deinem Haus und von deinem Volk und suche
das Land, das ich dir zeigen werde." Die Christenheit
hat sich immer verstanden in der Nachfolge Abrahams, weil Jesus selbst Abrahams Sohn ist. Und doch
haben wir uns immer wieder feste Tempel gebaut, in
denen wir Gott verehrten, anstatt ihn dort zu vereh-

ren, wo er lebendig ist: im Menschen. Dialog verlangt also ein ungeheures Vertrauen, eine Offenheit des Glaubens, wobei die Ungesichertheit des Glaubens die einzige Sicherheit ist, die wir überhaupt haben. Alle anderen Sicherheiten sind Schein-Sicherheiten, die letztlich zerbrechen, wenn es ums Leben geht. Nur dieses absolute Sich-Überantworten an die Tiefe des Lebens, das sich in der Menschheit Bahn bricht und in uns allen durchscheint, vermag diese Angst zu überwinden. In biblischer Ausdrucksweise heißt das: Ihr habt nicht den Geist der Knechtschaft, sondern den Geist der Kindschaft erhalten. Ihr dürft also nicht mehr wie Sklaven in Angst leben. Das ist die neue Freiheit. Sie besteht darin, daß der Mensch sich gründet auf die nicht greifbare, aber alles tragende Gegenwart des Lebens selbst.

d) Das Suchen des Gemeinsamen

Ein Drittes verlangt der Dialog: das Suchen des in allen verschiedenen Formen Gemeinsamen. Es gilt, die untergründigen Zusammenhänge in der Menschheitspsyche zu entdecken, das Gemeinsame zu entfalten, aus dem die Suche nach dem göttlichen Leben sich nährt.

4. Die spirituelle Chance

In diesem Austausch liegt die spirituelle Chance unserer heutigen Zeit. Spirituelle Chance nenne ich es deshalb, weil ich meine, daß die Zukunft der Menschheit steht und fällt mit ihrer geistigen und geistlichen Gemeinsamkeit. Spirituelle Kraft nenne ich jene Kraft, die einen Menschen Jesus befähigte zu seiner neuen Art Menschsein, zur solidarischen Existenz. Spirituelle Kraft nenne ich jene, die einen Buddha erfüllte, die einen Gandhi oder einen Martin Luther King oder eine Mutter Teresa erfaßte: das nenne ich spirituelle Kraft, die den Menschen hinaustreibt in die Zukunft und immer wieder neu das Alte vergessen läßt und sich ausweitet in eine größere Liebesfähigkeit, ein größeres Dasein für den anderen Menschen. In unserer Zeit, in der die Menschheit durch die Begegnung östlicher und westlicher Mentalität zu einem integralen Bewußtsein heranreift, wie es Gebser nannte, liegt die große Chance, diese Begegnung zu nutzen, um die unentfalteten Fähigkeiten, die unserem Menschsein mitgegeben sind, reifen zu lassen, so daß wir nicht mehr in dem Maße wie bisher von Verhaltensstrukturen der Angst und der Abkapselung bestimmt werden müssen, sondern kreativ neue Möglichkeiten finden. Daß wir entdecken, daß das Fremde im Grunde mein Eigenes ist, das ich noch nicht kenne, meine eigene Möglichkeit. Damit kämen wir zu einer Überwindung der Bruchstück-Mentalität in der Menschheit – hie Europäer, hie Asiaten; hie Christen, hie Nichtchristen; hie Nord, hie Süd – wir kämen zu einer Befreiung der brachliegenden Bewußtseinskräfte, die wir brauchen für die Zukunft, und wir kämen zu einer Vertiefung der religiösen Kraft der Menschheit, die letztlich den Aufbau der Zukunft allein garantiert. Religiöse Kraft, verstanden als Kraft, die dem Menschen aus dem absoluten Leben zukommt und in gültiges Leben der Zukunft hineinströmt. Es gilt, die eine Wahrheit in verschiedenen Blickrichtungen neu zu entdecken. Dann werden wir verstehen, daß unser Menschsein uns aufgetragen ist und daß wir unser Humanum in einem Exercitium

– in Übung – entfalten. Menschsein jedoch verstanden als letztes Verwurzelt-Sein im Göttlichen.

Weitere Literatur zum Thema:

Karlfried Graf Dürckheim, Überweltliches Leben in der Welt. Der Sinn der Mündigkeit. Otto Wilhelm Barth-Verlag, München ²1978

Paul Schwarzenau, Der größere Gott. Christentum und Weltreligionen. Radius Verlag, Stuttgart 1977

Willi Massa

Der spirituelle Impuls des Zen

Ich möchte etwas sagen über den spirituellen Impuls des Zen, und zwar habe ich vor, das in drei Schritten zu tun: Erstens: was verstehe ich unter Spiritualität? Zweitens: wie sehe ich die Spiritualität des Zen? Und drittens: worin erkenne ich den spirituellen Impuls des Zen für uns als Christen des Abendlandes?

1. Was verstehe ich unter Spiritualität?

Ich möchte bei dieser Beantwortung nicht von einem theoretischen Konzept ausgehen, sondern auf die Person Jesu schauen, weil er für mich der schlechthin spirituelle Mensch ist, woran am leichtesten abzulesen ist, was spirituell ist. Die Überzeugung, daß er der spirituellste Mensch ist – das ist meine christliche Glaubensüberzeugung – kommt in der Formel zum Ausdruck: Jesus ist der Christos, der mit göttlichem Geist Erfüllte.

a) Der neue Atem

Wie sieht das aus in der Konkretheit seines irdischen Lebens? Wir sehen die Menschen, die mit ihm in Kontakt kommen und stellen fest: sie atmen auf. Das Phänomen des Aufatmenkönnens, daß sie wieder Luft finden, Luft als Menschen, um als Menschen zu leben. Da atmet die Dirne auf, der er begegnet und wird zu einer glühenden Anhängerin; da atmet der zollgierige Matthäus auf und wird sein Bote; da atmet die Ehebrecherin auf, da atmet der Theologieprofessor auf und wird zu einem religiösen Menschen der Hingabe. Das Aufatmen ist ein Kennzeichen der Begegnung Jesu mit den Menschen. *Spiritus sanctus* heißt Heiliger Geist, heißt Odem, der aus einer letzten Tiefe, aus der Nicht-Zweiheit des Lebens herausströmt. Den *„spiritus sanctus"* könnte man in der Sprache der *Advaita*-Philosophie nennen: der „Geist des *Advaita"*[1].

Das ist das Leben, das in Christus aufbricht und in den Leuten sich niederschlägt als Befreiung, als Kraft, neu aufatmen zu können. Bedrückung fällt von ihnen ab, und Freude bricht auf. Sie schließen sich ihm an und folgen ihm so entschlossen, daß sie bereit sind, eher das Leben zu verlieren als ihn. Der unverbildete Mensch reagiert eben spontan auf das, was ihm als Mensch gut tut. So spürten die Menschen, daß Jesus Partei nimmt für das Urmenschliche in ihnen – denken Sie z. B. an den Durst der Frau am Brunnen von Samaria. Jesus sagt ihr ganz nüchtern: „Du sagst, du hast keinen Mann. Fünf hast du gehabt, und der, den du jetzt hast, der gehört dir nicht." Er sagt es, ohne zu verurteilen, sondern spricht sie in ihrem Daseinsdurst an und schenkt ihr Wasser für diesen Durst. So erleben die Menschen bei ihm Weite und Freiheit. Die Tiefe der Betroffenheit wußten sie nicht anders auszudrükken, als daß dieser Odem, diese Freiheit aus der letzten Wirklichkeit kommt. Dafür haben wir in unserer Sprache das Wort: heilig oder göttlich. Darum die Redeweise „Göttlicher Geist geht von ihm aus." – „Er ist der Gesalbte." Kraft des Lebens geht von ihm aus wie der Duft einer Salbe. Wie Duft anlockt, so zieht auch ein Mensch, der den Geist Gottes verströmt, die Menschen an.

Nirgendwo in der Menschheitsgeschichte gibt es eine Spiritualität ohne Freude. Wo traurige Menschen sind,

---

[1] *Advaita* (Sanskrit); wörtl. „kein Zweites habend", nichtdualistische Ureinheit aller Wirklichkeit.

da ist nicht der Geist Gottes lebendig. Wo Menschen nicht mehr atmen können, und sei es in einer Religion, ist nicht der Geist Gottes. Denn überall dort, wo Geist Gottes den Menschen berührt, erwachen die Menschen, werden frei und kommen zu sich.

b) Das spirituelle Ferment

In der Begegnung der Menschen mit Jesus entdecken wir aber noch ein zweites. Seine Gegenwart wird für die anderen zu einem spirituellen Ferment. Légaut formuliert das so: „Sie läßt das Menschliche in uns aus der Dumpfheit emporsteigen und enthüllt seine Tiefe. Je mehr ein Mensch diese Präsenz entdeckt und sich ihr anschließt, desto mehr kommt er zu sich selbst."[2] Und so bringt ein spiritueller Mensch, ein Mensch, in dem der Odem des Lebens weht, eine Gärung zustande. Er ist wie ein Ferment, das den ganzen Teig durchsäuert. Er deckt alles auf, was im Menschen an individuellen und kollektiven, bewußten und unbewußten Bestrebungen und Hoffnungen liegt auf Absolutes hin. „Er entbindet die Gewalt dieser Wünsche und Hoffnungen", sagt Légaut, „gerade weil seine Botschaft in den Grund und ins Äußerste stößt."[3]

c) Die neue Gemeinschaft

Hier kommt ein drittes Moment herein, nicht nur, daß eine Gärung entsteht, eine Veränderung, ein Wachstum und eine Entfaltung. Wo ein spiritueller

---

[2] *Marcel Légaut,* Meine Erfahrung mit dem Glauben. Eine Einführung in das Verständnis des Christentums. Herder Verlag, Freiburg/Br. [10]1979, S. 23.
[3] Ebd.

Mensch ist, bildet sich eine Gemeinschaft. Sie können die ganze Menschheitsgeschichte durchgehen: Überall, wo etwas vom Geist Gottes lebendig geworden ist, strömen Menschen zusammen und finden eine neue Form von Miteinandersein. Ich brauche nur Taizé zu erwähnen. Zehntausende junger Menschen gehen hin, um fähig zu werden zu einer neuen Art von Solidarität. Das ist für mich Beweis, daß dort Geist Gottes weht und Menschen frei macht. Sie lernen miteinander sprechen, sie lernen mit anderen Rassen umgehen, sie lernen auch mit anderen Religionen umgehen in einer neuen Freiheit. Das ist die Gemeinschaft des Geistes. Quer durch alle Konfessionen, quer durch alle Religionen, quer durch alle Kulturen. Wir identifizieren leider Kirche mit der Institution, die von Papst, Bischöfen und Priestern hierarchisch geleitet wird und durch ein Kirchengesetzbuch geordnet ist. Doch da ist ein Kirchenvater wie Augustinus so frei und sagt: „Es sind viele draußen, die drinnen sind, und es sind viele drinnen, die draußen sind." So verstand er den Leib des Herrn, der lebendig ist von seinem Geist. Es geht um eine Art von Verbundenheit aufgrund des gemeinsamen Zugangs zum göttlichen Leben in uns. Das ist wahre Kirche.

d) Spirituelle Existenz

Was ist nun von einem Menschen gefordert, der eine spirituelle Existenz führen möchte? Von ihm ist gefordert, seinem innersten Lebensauftrag auf die Spur zu kommen und sich ihm ganz zu unterstellen. Darum die stereotype Antwort eines Ramana Maharshi: Frag dich: wer bist du? Das ist der erste, der entscheidende Schritt: dem Lebensauftrag auf die Spur zu kommen und sich ihm zu unterstellen. Das zu sein, was du entdeckst. So versuchen Menschen, auf der Suche nach einem spirituellen Leben, sich durchzutasten zwischen Widerstand und Ergebung, durch Abwehr und Versuchung, in Stille und persönlicher Sammlung sich dorthin vorzutasten, wo in uns dieses spirituelle Leben ans Licht möchte. Wir können uns dieses spirituelle Licht nicht erwerben oder es uns verschaffen, wir können uns ihm öffnen. Dieses Licht, diese spirituelle Kraft, ist nichts anderes als die Dynamik des großen Lebens, des Seins, wie der Inder sagt, das in uns präsent werden möchte. Dieses Sein, dieses spirituelle Leben, ist auch die Kraft, aus der wir die Tiefe des anderen erfassen und verstehen können, ohne ihn zu vereinnahmen und zu benutzen. Von einem solchen Menschen sagt Paulus einmal: „Der spirituelle Mensch versteht alles" (1 Kor 2, 15). Er kann alles beurteilen, denn er steht ja am Ursprung, aus dem heraus die ganze Perspektive der Schöpfung sich entfaltet, aber er selbst kann von keinem, der nicht den gleichen Geist hat, verstanden werden. Die anderen stehen außerhalb des Fluchtpunktes der Perspektive der Schöpfung. Sie sehen Teile, sie sehen fallende Linien, während nur der am Ursprung der Konzeption die Struktur erkennt. Spirituelle Existenz wäre demnach die Suche nach dem Grund aller Wirklichkeit, und christliche Spiritualität wäre die Suche nach dem Grund aller Wirklichkeit unter der Anleitung des Wortes und des Lebens Jesu und das stete Bemühen, das Entdeckte im Alltag auch zu realisieren. Die Kraft, die uns entdecken läßt und uns ständig auf Entdeckungsreise treibt, wird in der Schrift das *„Pneuma hagion"* genannt, der Odem aus dem Herzen Gottes selbst. Weil er uns ins Angesicht geblasen ist, darum ist der Mensch lebendig und macht sich auf die Suche nach dem Leben. Überall dort, wo Suche nach dem Leben ist, ist Gott lebendig. Wo der Mensch das aufgegeben hat, hat er sich selbst aufgegeben.

e) Spirituelle Übung

Spirituelle Übungen wären demnach solche, die die Tiefen des Menschen erschließen helfen, die Widerstände ausräumen, die der Bewegung des Lebendigen in uns entgegenstehen. Religiöses Leben versteht sich als eine solche Praxis, theoretisch zum mindesten. Sobald aber religiöses Leben zum Ausdruck einer lehrmäßig gegründeten Religion geworden ist, läuft es Gefahr, in Dogmatismus und Moralismus zu verfallen. Marcel Légaut sagt dazu: „Diese Art von Religion dispensiert ihre Anhänger von jeder persönlichen Suche nach Jesus. Denn es wird so über sein Mysterium geredet, daß nur ein Konzept und ein Begriffssystem übrigbleibt." Es sollte aber darauf hinauslaufen, ein Leben lang auf der Suche nach immer tieferem Verstehen zu bleiben, ihm immer mehr zu entsprechen, es immer mehr von Jesu Geist durchdringen zu lassen, ihm so weit als möglich gleich zu werden. Somit überschreitet echte Spiritualität alle frommen Riten und Praktiken. Sie lebt wohl von Übungen, aber diese sind nur Hilfe und nicht Inhalt des Lebens.

2. Spiritualität des Zen

Fragen wir nun nach der Spiritualität des Zen, so können hier selbstverständlich nur einige wesentliche Linien gezogen werden. Sie wissen ja, Zen ist eine
Übungspraxis der geistigen Versenkung mit dem Ziel,
eins zu werden mit der Wahrheit unseres Lebens, das
ursprüngliche Angesicht zu erfassen und als Erwach-
ter mitten in diesem irdischen Dasein zu leben und zu
zeugen von dem unsichtbar alles Tragenden. Zen gehört zur großen Gruppe des Mahayana-Buddhismus
und gliedert sich heute in drei große Richtungen, drei
große Gruppen, von denen die Rinzai und die Soto-
Gruppe die stärksten sind. Zen geht es als Übungsweg
und Lebenspraxis um die Doppelbewegung, einmal
den Grund der Lebenswirklichkeit zu finden und
dann auf der Ebene des konkreten menschlichen Lebens diese Lebenswirklichkeit als gestaltende Kraft zu-
zulassen.

a) Das Suchen der Lebenswirklichkeit

Grundlagen

Zwei Grundsätze bestimmen dabei den Buddhisten.
Der erste lautet: *„Von anderen abhängig sein, bedeutet
Verlust des Gleichgewichts."*[4] Da fängt schon die
sprachliche Schwierigkeit an: Gleichgewicht ist für
uns im Westen kein Ausdruck für das letzte personale
Anliegen, die Vereinigung mit Gott. Gleichgewicht bezeichnet höchstens leib-seelisches Gleichgewicht als
psychosomatische Funktionalität, aber daß das eine

---

[4] *Kosho Uchiyama Roshi,* Weg zum Selbst. Zen-Wirklichkeit. Otto
Wilhelm Barth-Verlag. München 1973. S. 25.

existentielle Geschichte ist, wird uns vom Wort her wenig deutlich. Der zweite: *„Die Stütze des Selbst ist einzig das Selbst."*[5]

Das erste wäre also, zu erkennen, wovon wir abhängig sind, wenn wir das Gleichgewicht finden wollen. Gleichgewicht müßte umschrieben werden mit: Harmonie meines Lebens mit dem universalen Leben. In biblischer Sprache: Dein Wille geschehe wie im Himmel so auf Erden. Suche nach Harmonie: dahinter steht die Erfahrung, daß in meinem Dasein zwei Tendenzen sind. Die eine möchte sich auf sich selber stellen, die andere möchte empfangen, gehorchen und sich einfügen. Das führt zum Erleben des Zerrissenseins, von dem wir uns nicht selber be-freien können: – Verlust des Gleichgewichts.

Die Heilserwartung, das Ganzwerden des Menschen wird erhofft, durch Einswerden beider Willen, wenn mein kleines Universum in Harmonie mit dem großen Universum ist. Das ist das Gleichgewicht, die Harmonie, das Einssein – *tat twam asi* – das bist du – wie die *Advaita*-Philosophie sagt.

Das Hindernis dieses Gleichgewichts sieht der Buddhist in der Abhängigkeit vom Egobewußtsein. Das Egobewußtsein als eine Einstellung, alles auf sich in seiner kleinen individuellen Welt-Existenz zu beziehen. Dieses Ego, die Abgrenzung von anderen, ist für den Buddhisten der Ausdruck der Grundspaltung und muß folglich überwunden werden. Egobewußtsein ist Fremdheit des Menschen, der sich mit dem winzigen Teilaspekt seiner irdischen Realität identifiziert und damit sich selbst in seinem universalen Aspekt vergißt. Unter dem Aspekt des Ego erfassen

---

[5] *Kosho Uchiyama Roshi*, Weg zum Selbst, a.a.O. S. 32.

wir uns als Eigenwesen. Da hat jeder seine Geschichte, seine Ausbildung und sein Geschlecht, sein Einkommen usw., seine Rollen, die er zu spielen hat. Zen möchte den Menschen da herausholen. Nicht ihn unfähig machen, seine Rollen zu spielen, weil die Rollen gefordert werden von unserem sozialen Bezug, sondern ihm entdecken helfen, daß dies nicht seine Totalität ist. Ich bin nicht mein Denken, ich bin nicht mein Fühlen, ich bin nicht mein Streben, ich bin nicht mein Leib, ich bin nicht meine Seele. Was bin ich denn?

„Wenn wir in einer solchen Einstellung leben", sagt Uchiyama Roshi, „und glauben, daß unser Selbst in der Gegenüberstellung zu anderen besteht, verlieren wir das Wesen des Lebens, das wahre Selbst."[6] Und um dieses Selbst zu finden, leitet ein Ramana Maharshi seine Jünger an, zu fragen: Wer bin ich, bevor Vater und Mutter waren? Er will damit helfen, in die absolute Dimension vorzustoßen, aus der heraus wir unsere Identität gewinnen, unsere Identität jenseits unserer biologischen Bedingtheiten. Dieses Denken fällt uns im Abendland ungeheuer schwer, weil wir gelernt haben, mit den Augen der Naturwissenschaft und der westlichen Anthropologie uns mit unseren biologisch-irdischen Bedingtheiten zu identifizieren.

Die Überwindung der Abhängigkeit von diesem Aspekt des Lebens besteht im Erfassen der Wirklichkeit des Selbst. Wir finden keinen Frieden, bis wir in der Wirklichkeit des Selbst angelangt sind, bis für mich „die Stütze des Selbst einzig das SELBST ist", sagt Uchiyama[7]. Das Gleichgewicht ist die innere Harmonie aller Aspekte meiner Wirklichkeit, womit mein

---

6 *Kosho Uchiyama Roshi,* Weg zum Selbst, a.a.O., S. 30.
7 *Kosho Uchiyama Roshi,* Weg zum Selbst, a.a.O., S. 32.

Verwurzeltsein im Göttlichen im Sinne der „Wolke"[8] – daß Gott mein Sein ist – mit eingeschlossen ist. Dort, wo diese Identität noch nicht gewonnen ist, wo das noch nicht einbezogen ist in mein Bewußtsein und Wahrnehmen, dort fehlt die Balance, die Einheit, die Ganzheit, dort bin ich zerspalten und zertrennt. Gleichgewicht ist die Abstimmung meines empirischen Ich mit meinem trans-empirischen, Übereinstimmung meines individuellen Daseins mit meinem über-individuellen Sein in seiner absoluten Tiefe.

Im christlichen Sprachbereich taucht diese Grundproblematik auf im Begriff „Gerechtigkeit", in der Frage: Wann ist ein Mensch „recht" und „richtig"? Wir verstehen heute Gerechtigkeit anders als die biblischen Menschen. Wenn gesagt wird, Josef war gerecht, dann meinte man: er war als Mensch in Ordnung und richtig in seiner Gottesbeziehung, so wie ein Abraham „recht" war. Es wird zugleich erkannt, daß diese Art Rechtsein nicht von Menschen hergestellt werden, durch keine Techniken, durch keine religiöse Praxis und durch keine Opfer herbeigezwungen werden kann, sondern daß diese Art Richtigkeit nur möglich ist kraft des großen Lebens, das in mir zur Gestalt drängt. Es ist Sache Gottes und nicht meine. Meine Sache ist, die Tür aufzumachen, damit das Leben herein-kann.

Und wie findet man diese Lebenswirklichkeit in ihrer Ganzheit? Da sagt Zen lakonisch: „Lebe dein Leben!" Ja, was ist denn mein Leben? „Das ist das, was es ist." Zen verweigert bewußt jede intellektuelle Antwort, um den Menschen nicht mit einer vermeintlichen Einsicht abzuspeisen und ihn damit zu hemmen, nach der

---

[8] Vgl. Anm. 1 auf S. 57.

Frage weiter zu suchen, bis sie sich durch sein eigenes Leben beantwortet. Darauf eine Antwort zu geben: Leben ist dies und das, würde dazu führen, daß der Mensch sagt: Aha, jetzt weiß ich, was es ist. Im gleichen Moment hört sein Suchen auf, weil er eine intellektuelle Einsicht mit existentieller Erfahrung verwechselt. Zen möchte nicht *über* etwas reden, interessiert sich nicht für den Finger, der auf den Mond weist, sondern für den Mond selbst. Darum die Verweigerung intellektueller Antwort, in einer Weise, daß der Mensch schockiert wird und auf die Suche geht nach dem Leben. So verstehen wir die seltsamen Erzählungen von den Meistern. Da kommt ein Schüler zum Meister und fragt: „Habe ich auch Buddha-Natur?" Der Meister darauf: „Hast du schon gefrühstückt?" – „Ja." – „Hast du deine Schale gesäubert?" – „Nein, noch nicht." – „Geh und säubere deine Schale." Schockierend für uns. Da stellt jemand eine entscheidende Frage und wird nur darauf verwiesen, seine Schale zu säubern. „Lebe dein Leben" – „Sei wach": Er war nicht wach, sonst hätte er seine Schale schon gesäubert gehabt; „lebe wach", damit dein Leben selbst sich zeigt, wie es ist. Die Übung des Zazen besteht daher nicht nur im Sitzen in Stille, sondern in der Art und Weise, alles wach zu vollziehen, in allem geistesgegenwärtig zu sein. Darum ist Zazen alles: Sitzen, liegen, stehen, gehen, schlafen, essen. Und die Übung des Sitzens in Stille ist nur eine Weise des Wachseins und Aufmerksamseins. Es ist eine sehr dichte Weise, die hilft, mit der gefundenen Ruhekraft auch im Tun ganz bei sich, ganz geistesgegenwärtig zu sein. Zazen üben heißt einfach, aus der Wirklichkeit des Selbst heraus leben. Hier kommt der Primat der Praxis vor der Theorie zum Ausdruck. Während wir im Westen immer erst nach der Theorie fragen, die dahintersteht, um dann zur Praxis zu kommen, dreht der Osten das um und sagt: Lebe erst, was ich sage, dann kommt deine Erkenntnis. Das berührt sich mit der Auffassung Jesu. Als man ihn fragte: Kannst du deine Sendung legitimieren? Womit beweist du denn, daß du so etwas sagen darfst? – da sagt er lakonisch: Tut das, was ich sage, und dann erkennt ihr, woher ich stamme. Er verweigert den Beweis. Wer es wissen will, wird verwiesen auf die Praxis, um durch die Praxis zu erkennen, wer aus ihm spricht und woher seine Legitimation des Wortes kommt. Das Erwachen zum Selbst ist daher der Kern des Bemühens im Zen. Wenn man fragt: wie erwacht man denn zu sich selbst, dann wird gesagt: es ist ja gar nicht so, daß du erwachst, sondern in dir erwacht das Selbst zu sich selbst. Aber unter der Bedingung, daß ich der Zeuge dieses Vorganges bin. Darum das stille Sitzen als Zeuge-Sein des Lebens, das sich zeigen möchte.

Versteht die Zeichen der Zeit, sagt Jesus einmal, versteht, was sich tut. Schaut! Wer richtig schauen kann, sieht im Vogel die sich selbst verströmende Güte des Lebens, sieht in der Lilie die Sehnsucht des Lebens nach Pracht, Schönheit und Fülle. Schaut! Man muß aber das Auge dafür haben. Hört! Spürt! Das sind Ausdrucksweisen für das wahre Wachsein als gegenwärtiger Zeuge des sich selbst entfaltenden Lebens. Die Erkenntnis, die aus dem Wachsein entspringt, ist die Einheit von Erkennendem und Erkanntem. „Das bist du selbst", heißt es dann – *tat twam asi:* Der Atman ist zum Brahman geworden. „Wir schlafen, solange wir in der Welt unserer Gedanken befangen sind und uns von unserem Begehren und unseren Illusionen treiben lassen. Wachen wir jedoch auf beim Zazen, so kehren wir zur wahren Lebenswirklichkeit zurück, und diese wird unsere geistige Mitte, unser geistiger Schwerpunkt."[9] So sucht Zen das hellwache Leben aus der zentralen Lebenswirklichkeit heraus, wobei die zentrale Lebenswirklichkeit die sich selbst offenbarende universale Lebenswirklichkeit ist, die alles durchdringt und alles erfüllt, alles Gestalten treibt, aber niemals von einem Menschen zu erfassen ist. Darum ist die Antwort des Menschen, der in die Nähe dieser Wirklichkeit kommt oder von ihr berührt wird, nur der Hymnus und die Anbetung – oder das Verstummen, der Verzicht, es zu benennen, weil der Benennungsversuch bedeuten würde: Ich kann es fassen. Für einen östlichen Menschen wäre dies Zeichen dafür, daß diesem Menschen die Ehrfurcht fehlt, kraft derer er allein den Zugang zu diesem Mysterium des Lebens findet. Dieses[10] *Erwachen zu sich selbst* wird *Satori* genannt, *Erleuchtung,* weil es immer mit Licht, mit dem Hellwerden und Aufleuchten des Daseins verbunden ist, oder *Kensho, das Erblicken des ursprünglichen Angesichts, Schau des Wesens im Grunde.* Uchiyama Roshi ist der Meinung, daß bereits das Sitzen zum Zazen teilhat am Satori. Meist wird es als ein blitzartiges Durchstoßen zur Grundwirklichkeit beschrieben. Uchiyama versteht es in seiner Tradition anders und sagt: es beginnt schon bei dem Sich-bewußt-Werden in der Stille keimhaft aufzuleuchten. Und doch ist Satori nicht Ziel des Zazen. Es kann nicht erstrebt werden. Es

---

[9] *Kosho Uchiyama Roshi,* Weg zum Selbst, a.a.O., S. 69.
[10] Die folgende Passage bis S. 46 („. . . der gesamten Wirklichkeit zugehörig erfassen") ist dem Beitrag Willi Massas, Zur Spiritualität der östlichen Meditation, entnommen, erschienen in dem Buch von *Johannes Marböck / Rudolf Zinnhobler (Hrsg.),* Spiritualität in Geschichte und Gegenwart. Oberösterr. Landesverlag, Linz 1974 (= Linzer Philos.-Theol. Reihe 4).

kann eintreten, wenn alles Suchen nach ihm aufgegeben ist. Wenn der Mensch nicht sucht, sondern selbst ganz und gar zur Suche geworden ist. „Das Satori kommt dem Satori zu Hilfe mit seiner ganzen Macht"[11], d. h. die Urwirklichkeit bricht sich im Individuum selber Bahn, das große Licht bricht in das kleine Bewußtsein ein. Die Heilige Schrift deutet in ähnliche Richtung, wenn sie sagt: „Der Geist bezeugt meinem Geist, daß ich Kind Gottes bin." Hier kommt die Grundwirklichkeit meinem Bewußtsein zu Hilfe und sagt mir, wer ich vom Grund her bin. In diesem Aufleuchten sind die Gegensätze überwunden. Gut und Böse liegen jenseits, Erleuchtung und inneres Dunkel sind keine Gegensätze mehr. „Das Selbst überschreitet alle Dinge. Selbst wenn Himmel und Erde einstürzen, so wundert mich das nicht, und selbst wenn die Teufel der Hölle anrücken, so habe ich keine Angst. Warum wohl? fragt Rinzai-Roku. Weil kein Grund vorhanden ist, irgendeiner Sache auszuweichen, was es auch sei."

Das Selbst

Was ist nun dieses Selbst? Das Zen versteht das Selbst als die Wirklichkeit, die alles erfüllt und alles beinhaltet. Wer zu Satori gefunden hat, zu sich selbst erwacht ist, der hat Heimat im All gefunden, und in ihm wirken die Kräfte des Alls. Solange er aus dieser Wirklichkeit heraus lebt, ist er unerschütterlich in allen Situationen. Das Selbst wird zur lebendigen Urerfahrung, es erwacht in uns als unsere Lebenswirklichkeit. Eben das Selbst, das nichts anderes ist als das Selbst, *das All-Selbst,* das eine große Leben des Universums, das uns

---

[11] *Kosho Uchiyama Roshi,* Weg zum Selbst, a.a.O., S. 85.

alle als unser eigentliches Selbst durchpulst. Im Zazen erwacht der Mensch und entdeckt sich als lebend im universalen Leben. Als Shakyamuni Gotama Buddha zur Erweckung kam, sagte er: „Ich habe den Weg gleichzeitig mit der ganzen Welt und allen fühlenden Wesen erreicht. Alle Dinge, Berge, Flüsse, Bäume, Gras . . . sind Buddha"[12], d. h. er erfaßt nun die Gegenwart des einen großen Lebens in allem, was ihn umgibt.

Daher ist das Suchen nach dem eigenen Selbst nicht, wie bei uns oft vermutet oder befürchtet, ein Rückzug in die Isolation der eigenen kleinen Welt, sondern die Überwindung der eingesponnenen, selbstgenügsamen Existenz. Statt isoliert, im Kontakt mit allem.

Daher die ständige Aufforderung: „Wir müssen aus der Wirklichkeit unseres Selbst heraus leben."[13] Um dies zu erreichen, wird das Üben der Versenkung, der Sammlung in Japan so streng gehandhabt. Sitzen und Sitzen . . . bis zu 14 Stunden am Tag, unbeweglich, während eines Sesshins von 5–7 Tagen. Mit Fleisch und Bein üben, aufgemuntert durch den Stab des Meisters, bis Körper und Geist vergessen wird und der Mensch zu seiner Wurzel kommt. Das Nichtdenken denken, hellwach, mit geballter Aufmerksamkeit auf das Leben jenseits von definierbarer Form und Gestalt. Unsere Mystiker würden sagen: „Gesammelt auf Gott, in seinem reinen Sein, weiselos." „Wir müssen die Personen hinter uns lassen, um die Gottheit zu finden", formuliert Eckhart.

So wird geübt ohne Ziel, das erreicht werden soll, denn jede Ziel-Vorstellung läßt den Einheitszustand zerbre-

---

12 *Kosho Uchiyama Roshi,* Weg zum Selbst, a.a.O., S. 96.
13 *Kosho Uchiyama Roshi,* Weg zum Selbst, a.a.O., S. 90.

chen. *Zazen ist das Selbst, welches das Selbst in das Selbst hineinbaut.* Ein paradoxes Wort, das nur aus der Erfahrung heraus verstanden wird. Ein Koan! Logisch könnte man es vielleicht so ausdrücken: Zazen ist waches Gegenwärtigsein, in dem wir zu uns selber kommen und uns als der gesamten Wirklichkeit zugehörig erfassen.

b) Die Gestalten unseres irdischen Daseins

Das war die eine Bewegungsrichtung: Finden der Wirklichkeit des wahren Selbst. Die zweite Bewegung entspringt aus diesem Selbst im gleichen Maß, als es in unser Innesein tritt und unser Leben formt und bestimmt. Das ist ein Prozeß der Umgestaltung unseres bisherigen Verhaltens, unseres bisherigen Denkens, unserer bisherigen Einstellungen und Beziehungen.

Glaube

Bei diesem Gestalten unseres Daseins aus dem zentralen Selbst heraus verlangt Zen einen *starken Glauben* und eine *klare Führung.* Glaube – damit stoßen wir schon wieder an die Sprachschwierigkeit – wird nicht verstanden als Für-wahr-Halten dessen, was der Meister sagt. Glaube heißt: Laß dich auf deine Erfahrung des Lebens absolut ehrlich ein, und laß dir die Klarheit und Reinheit der Hingabe an das Leben in seiner Tiefe durch nichts trüben, durch keine Selbstsucht und kein Habenwollen. All das sind Trübungen, Belastungen. Laß dieses Vertrauen auf das Leben durch nichts trüben. „Selig sind, die reinen Herzens sind." Gefüllt mit Leben heißt selig sein. Selig sind, die reinen Herzens sind, sie schauen Gott. So spricht die Bergpredigt. Mit diesem Glauben ist das reine Herz gemeint, das absolute Ja zur Hingabe. „Dieser Glaube darf nicht zweifeln, daß wir mitten in der unteilbaren Lebenswirklichkeit stehen", sagt Meister Uchiyama. Wir müssen uns darauf einlassen und von dorther alles geschehen lassen.

Führung

Und das *zweite* ist, *sich führen lassen.* Wer am Anfang des Weges steht, ist wie ein Blinder. Er sieht nichts. Er braucht einen mit offenen Augen, einen Führer. Und dies sind zwei: einmal die *Sutren,* die Aussprüche derer, die bereits schauen konnten, denen die Schuppen von den Augen fielen, die erleuchtet sind, die sehen, was wirklich ist, und darum führen können zum Wirklichen, zum andern *der konkrete Meister,* der mitgeht und gleichsam als spiritueller Vater das noch verborgen schlummernde Leben aufweckt, den Keim befruchtet, daß er sich bis zur Reife entfalte.

Leibhaftigkeit

Ein weiterer Aspekt von großer Bedeutung ist, daß dieser geistliche Weg in einer für uns Westliche oft unverständlichen Weise den *Leib* mit einbezieht. Der östliche Mensch „hat" nach seinem Gefühl nicht einen Leib, er ist Leib. Auch ein Jude zur Zeit Jesu hätte niemals verstanden, wenn man ihm gesagt hätte, er habe einen Leib; er hat sich leibhaftig erlebt. Daß wir meinen, einen Leib, eine Seele, einen Geist zu haben, ist schon die Verwechslung von unterscheidender Denkstruktur und Erfahrensweise. Keiner erfährt sich, bei genauer Prüfung, als jemand, der einen Leib besitzt, sondern er erfährt sich leibhaftig. Nur ist diese Erfahrung oft zugedeckt durch unsere Weise zu denken. Dann handeln wir, als hätten wir in unserem Leib einen Besitz, den wir ausbeuten könnten. Wir tun unserem Leib sehr viel Böses an und merken gar nicht, daß wir uns persönlich damit treffen, weil wir ja selbst dieser Leib sind. Zen hat die Bedeutung des Leibes für den Kontakt mit der immateriellen Welt erkannt. Darum übt Zen das richtige Sitzen, denn wenn der Leib aufrecht ist, ist der Mensch aufrichtig. Wenn sein Leib steht, steht der Geist des Menschen, verbunden mit der Erde und dem Himmel. Dann herrscht Harmonie von Erde und Himmel, von Menschsein und göttlichem Sein. Wenn der Mensch sich dem Atem öffnet, dann erschließt sich ihm der Odem des Universums. Darum lehrt Zen, Zeuge der Entfaltung des Atems in uns zu sein. Zen stellt nicht die Frage: Wie kann ich richtig atmen? Sondern: *Wie* möchte sich der Atem in mir vollziehen? Zen sucht Teilhabe am Lebensodem des Universums. Dann geht uns auf, was auf den ersten Seiten des Alten Testaments steht, daß dieser Odem in uns Teil gibt am göttlichen Odem und Leben. „Er blies ihm den Odem ins Gesicht, und so wurde der Mensch ein lebendiges Wesen" (Gen 2, 7).

3. Der spirituelle Impuls

Als drittes wollen wir uns fragen: Worin besteht der spirituelle Impuls des Zen in der Begegnung des christlichen Abendlandes mit Philosophie und mit Praxis des Zen? Ich sehe einen doppelten Impuls: Wir lernen wieder, die Göttlichkeit Gottes anzuerkennen und zweitens die Menschlichkeit Gottes wahrzunehmen.

a) Die Anerkennung der Göttlichkeit Gottes

Wir machen im Westen soviel Worte über die letzte Wirklichkeit, daß wir diese selbst aus dem Auge verlieren. Es gibt religiöse Reden, die so gottlos sind, daß Menschen den Glauben verlieren. Dahinter steht die Hybris des Bescheidwissens, die verhindert, daß Er sich naht. Wir haben uns in unserer Theologie, in unseren religiösen Riten, Gebäuden und künstlerischen Gestaltungen Gottesbilder geschaffen, die nach jahrhundertelanger Tradition zum guten Teil nicht mehr das leisten, wozu sie geschaffen wurden: nämlich uns den Kontakt zu ermöglichen mit dem Unnennbaren. Die Symbole treten an die Stelle dessen, den sie vergegenwärtigen, und werden dadurch Götzenbilder. Wir vergessen, daß das Bilderverbot zum Charakteristikum der biblischen Religion gehört, weil im Bildermachen immer die Tendenz liegt, über Gott zu verfügen. Den nie Gestalteten, den Unwandelbaren, Weiselosen in eine Gestalt, ein Bild, ein Wort bringen, macht ihn verfügbar und zur Projektion aller Sehnsüchte. Weil Gott im Alten Testament sorgen wollte, daß er Gott bleibt, kam das Verbot: „Du sollst dir von mir kein Bild machen." Sein „Name" ist sein Gegenwärtigsein. Er ist immer da, wenn der Mensch ihn braucht und sich ihm zuwendet. Darum hat Gott im Alten Testament keinen Namen außer: „Ich bin da." Die Juden haben das sehr gut verstanden. Um die Selbstoffenbarung Gottes als „Jahwe" nicht wiederum als Namen zu mißbrauchen, legten sie andere Vokale unter und sprachen von Jehova.

Aber die menschliche Psyche ist listig und schafft sich immer wieder Bilder. So schuf sich jüdische Theologie ein gedankliches Bild, auch wenn im Tempel von Jerusalem keine Gottesstatue stand und in keinem jüdischen Haus eine Herrgottsecke zu sehen war. Die Vorstellung, das Bild waren wieder so kompakt und fest, daß eine weiterführende tiefere Offenbarung Gottes kaum möglich war. Als daher Jesus den Vater neu und tiefer offenbaren wollte, mußte er sterben. Die gewordenen Gottesbilder standen gegen ihn und seine Botschaft.

Wir lernen heute durch den Impuls des Zen wiederum diese biblische Sicht des Absoluten. Wir lernen wieder die Scheu vor dem Benennen. Wir verstehen neu, daß all unsere Worte eigentlich nur Verweise sind. Wenn sie das nicht mehr sind, streiten wir uns um Worte und erschlagen uns im Namen unserer Gottesbilder – es wurden ja Kreuzzüge geführt im Namen Gottes und unzählige Menschen diesem menschlichen Gottesbild geopfert. Überall, wo dies geschieht, ist nicht mehr ER da, sondern die Herrschaft eines Idols, das der Mensch sich aufgebaut hat. Idolatrie aber heißt Götzenverehrung.

Unsere heutige Schwierigkeit, mit dem Osten zu sprechen, liegt in unserem präzis umrissenen theologischen Gottesbild. Sie brauchen nur einmal das Buch über Thomas Merton, „Grenzgänger zwischen Christentum und Buddhismus"[14], zu lesen, in dem nachgewiesen werden soll, daß seine Mission eigentlich gescheitert ist. Hier wird deutlich, wie verhängnisvoll theologische Positionen sind, wie unhinterfragt das bisherige theologische Denken als Maßstab für neue Erfahrungen genommen wird. Dementsprechend

---

[14] *Elisabeth Ott,* Thomas Merton. Grenzgänger zwischen Christentum und Buddhismus. Über das Verhältnis von Selbstdarstellung und Gottesbegegnung. Echter Verlag, Würzburg 1977.

muß er natürlich scheitern, denn er kann die tradierten Formeln mit seiner neuen Erfahrung nicht in Einklang bringen. Es kommt etwas Neues, was die alten Symbole aufsprengt und sie befreit zu dem, was eigentlich damit gemeint ist. Wie Jesus sagte: „Ich komme, um das Gesetz zu erfüllen – aufs i-Pünktchen" – und es faktisch, durch die Erfüllung dessen, was das Gesetz meinte, auflöste. Paradox! Gerade dadurch hat er es erfüllt. Es geht also darum, die Göttlichkeit Gottes anzuerkennen, indem wir ihn Gott sein lassen und ihn nicht zu einer menschlichen Figur machen, für die man Partei nimmt, sondern dem wir uns in voller Hingabe öffnen, um teilzuhaben an seinem unversieglichen Leben.

b) Die Menschlichkeit Gottes

Das zweite ist, die Menschlichkeit Gottes anerkennen. Auch hier stehen wir vor einem Paradox. Nachdem Jesus die Gottesbilder der jüdischen Theologie zerschlagen hatte, steht er auf einmal selbst als Bild Gottes da, als der Mensch Jesus, in dessen Angesicht das Leuchten des Vaters liegt. „Wer mich sieht, sieht den Vater." Schon wieder lauert die Gefahr, ihn als Bild festzuhalten, in seiner menschlichen Rede, in seinem menschlichen Tun. Und was tut Jesus? Er sagt seinen Jüngern: „Ich muß weg. Wenn ich nicht gehe, dann kommt für euch nicht die entscheidende Hilfe, die euch in die Wahrheit einführt und euch in der Wirklichkeit verwurzelt. Ich muß weg." Wiederum das Erkennen unseres Dranges, festzuhalten, sich an etwas zu klammern, einen Bezugspunkt zu haben. Doch Jesus sagt paradox: „Ich werde bei euch sein. Aber in einer neuen Form, wo ihr mich nicht festhalten könnt am Gewand, auch nicht dingfest machen könnt bei einem bestimmten Wort, denn ich werde bei euch sein in der Kraft meines Geistes." Damit sind wir verwiesen auf unsere menschliche Erfahrung, um zu fragen: Passiert mir das, ist er wirklich in mir? Die Urkirche sagt: Daß Gott uns liebt, das merken wir daran, daß er uns von innen her treibt. Er läßt uns nicht in Ruhe, er nimmt nicht die Unruhe auf größeres Menschsein, er gibt uns Hoffnung, er gibt uns die Kraft, zu vertrauen, mitten im Dasein zu stehen und zu wissen: ich bin unzerstörbar, und läßt uns Stufe um Stufe teilhaben am inneren Erfassen dessen, was Jesus gelebt hat. „Er wird von meinem nehmen und es euch verkünden" (Joh 16, 14). Ich muß gehen, damit die wahrhaftige Nähe des Ich-bin-da erfahren wird, aber jetzt in der Form unseres menschlichen Lebens.

Zen sagt: Werde wach dem Leben gegenüber, und du entdeckst, was Leben ist. Wir entdecken Gott nirgendwo anders als in unserem menschlichen Leben. Wo sollen wir ihn denn sonst entdecken? Was in den Schriften steht, verweist darauf, daß Menschen ihn im Leben entdeckt haben, entweder als einzelne oder als Volksgemeinschaft, wie etwa Israel kollektive Erfahrung machte. Es ist das „Mitten-in" des Reiches Gottes. Sucht doch nicht das Reich Gottes hier oder dort. Glaubt denen nicht, die sagen: Hier ist es – oder dort. Denn es ist ja „mitten in"! „Mitten-in", was ist das? Dort ist „mitten-in", wo man nicht mehr sagen kann, hier und da, das der kategorialen Ebene angehört, sondern wo der Mensch selbst zu dem geworden ist, was „mitten-in" ist, es erfaßt aus dem Innesein.

So befreit uns der Impuls des Zen zu einer zentral christlichen Haltung. Es macht uns aufmerksam auf die Bedeutung unserer leibhaften menschlichen Existenz als dem Ort, an dem die umfassende Wirklichkeit sichtbar und offenbar werden möchte. Darum konnte die christliche Tradition sagen: „Haltet den Tempel Gottes heilig. Und der Tempel Gottes, der seid ihr" (1 Kor 3, 17). Wir müssen z. B. als Katholiken lernen, die Gegenwart Christi im Tabernakel zu verstehen als eine Hilfe, zum lebendigen Tempel heranzureifen. Er gibt sich in der Form der Speise, daß wir als Menschen Kraft gewinnen, so zu sein wie er, nämlich Tempel des Lichtes. Und nicht, daß wir zwar vorm Tabernakel die Kniebeuge machen, doch den Menschen schlagen, mit dem wir zusammenleben. Das wäre der Irrtum der Religion, daß eine Form für wichtiger gilt als die Realität des rechten Lebens.

So kann uns Zen helfen zur Befreiung unserer westlichen Mentalität von der Vorherrschaft der gedachten Wirklichkeit, gleich, ob diese weltanschaulich, politisch oder religiös ist, und uns dazu führen, daß wir zur wahren Wirklichkeit erwachen. So wie Christus es wollte, daß wir vom Geist in die Wahrheit eingeführt werden, indem er uns immer tiefer und tiefer das offenbart, was in Christus gelebt hat in der Form des *Advaita*, des Nicht-zwei-Seins, des Eins-Seins mit dem Vater. „Denn ich will, daß so, wie ich mit dir eins bin, sie mit uns eins seien" (Joh 17, 21).

Willi Massa

Der Weg
in der mystischen Schrift
„Die Wolke des Nichtwissens"
und der Weg des Zen

I. Der Weg in der „Wolke des Nichtwissens"

1. Anonymer Autor

„Die Wolke des Nichtwissens"[1] ist das Werk eines unbekannten englischen Seelenführers. Manche vermu-
ten, er sei ein Kartäuser, andere, er sei Landpfarrer ge-
wesen in Wales, was Sprache und Einfachheit seines
Stiles nahelegen. Wie dem auch sei, dies Büchlein aus
dem 14. Jahrhundert ist im englischsprachigen Bereich an Bedeutung der „Nachfolge Christi" des Thomas von Kempen vergleichbar. Es hat bis heute in den
angelsächsischen Ländern eine große Bedeutung als
geistlicher Führer zum inneren Beten. Aber auch in
Frankreich, den Niederlanden und in Deutschland hat
es viele Freunde. Wir erkennen darin die Gültigkeit
spiritueller Erfahrung, mag sie auch im Sprachgewand
mittelalterlicher Frömmigkeit daherkommen.

2. Negative Theologie und „devotio moderna"

Die „Wolke des Nichtwissens" vereinigt zwei geistige
Strömungen: einmal die negative Theologie und die af-
fektive Mystik des 14. und 15. Jahrhunderts, zum andern die sogenannte *„devotio moderna".* Aus der *devotio moderna,* der modernen Frömmigkeit, wie man damals sagte, entwickelte sich eine Spiritualität, die sich
in der „Nachfolge Christi" verdichtete. Aus dem
Strom der negativen Theologie und der affektiven My-

---

[1] Deutsche Ausgabe: *Kontemplative Meditation. Die Wolke des
Nichtwissens.* Einführung und Text. Hrsg. v. *Willi Massa.* Matthias-Grünewald-Verlag, Mainz ⁵1980 (= Topos Taschenbuch
30).

stik entwickelte sich die Hochblüte der spanischen Mystik, vertreten vor allem durch Teresa von Avila und Johannes vom Kreuz. Verfolgen wir die Linie rückwärts, so schlägt sich in der „Wolke des Nichtwissens" vor allem die „Mystische Theologie" des Pseudo-Dionysius Areopagita nieder. Das Corpus Areopagiticum, etwa um 500 n. Chr. entstanden, schrieb man lange Zeit Dionysius zu, dem Schüler des Apostels Paulus, den dieser auf dem Areopag zu Athen bekehrte. So läuft also die „Mystische Theologie" unter dem Namen des Apostelschülers, obwohl sie erst 500 Jahre n. Chr. entstand. Ein Teil des großen Gesamtwerks, des Corpus Areopagiticum, „de mystica theologia", ist einer der wichtigsten Grundtexte der mystischen Theologie und der mystischen Versenkungspraxis im Abendland geworden. Die Grunderkenntnis, die darin eingebracht ist, lautet: die höchste Erkenntnis von Gott, die uns möglich ist, ist die Erkenntnis dessen, was er nicht ist. „Alle Aussage von Gott ist unzureichend, wirklich zutreffend ist nur die Verneinung jeder Aussage" (Himmlische Hierarchie II, 3). Und die wahre Vereinigung mit ihm geschieht, wenn die Seele „aus allem Geschaffenen und auch aus sich selbst heraustretend, mit ihm erkenntnislos geeint wird" (Mystica Theologia I, 1).

Im Mittelalter fand diese Strömung ihre Vertreter vor allem in den Mystikern Hugo und Richard von St. Victor. Sie betonten vor allem die Liebe; die Einsicht des Denkens müsse umschlagen in die Kontemplation des Liebenden. Sie entwickeln bereits eine ausgeprägte Psychologie der mystischen Versenkung, wobei die Fähigkeit des Menschen, Gott zu erkennen, ausschließlich der Liebeskraft zugeordnet wird und nicht dem Erkenntnisvermögen.

Dies ist der eine Strom, der in die „Wolke des Nichtwissens" einfließt. Der zweite ist die *devotio moderna"*, die neue Laienfrömmigkeit des Mittelalters. Es ist
der Zeitpunkt, in dem das spirituelle Bemühen, bisher
konzentriert in den alten Orden, übergeht in die Breite
der christlichen Laienschaft. Denken wir z. B. an Franziskus. Während Benedikt die Mönche sammelt mit
„stabilitas loci", der Ortsbeständigkeit, setzt sich nun
eine neue Haltung durch: *kein* Haus haben, keinen Besitz, keine Bibliothek, sondern durch die Welt wan-
dernd und den Unterhalt erbettelnd, nicht in autarker
Selbstversorgung wie die Benediktiner. Sie wollten
von dem leben, was die Menschen ihnen gaben, und
mitten in der Welt verkörpern, was Christus wollte.
Aus dieser Laienbewegung entstand zwar wieder ein
Orden, doch ihre Grundhaltung wurde von der christlichen Laienschaft übernommen, mitten in der Welt
den Aufstieg zu Gott zu wagen und zu realisieren.
Die Zelle ist nicht mehr im Kloster, sondern im Herzen, das liebend sich Gott öffnet. Das ist *devotio moderna.* Dieser Strom der *devotio moderna,* der Laienfrömmigkeit, verbindet sich in der „Wolke" mit dem
Weg der negativen Mystik der Frühzeit.

3. Die Anleitung

Nun fragen wir nach dem Weg, den die „Wolke" rät.
Sobald wir das Büchlein aufschlagen, finden wir etwas
ganz Entscheidendes ausgedrückt: der Ausgangspunkt
jeder Versenkung in die Präsenz göttlichen Seins ist –
in der Sprache moderner Psychologie ausgedrückt –
das erwachsene Ich.

a) Voraussetzung

Ein Mensch ohne reifes Ich ist nicht fähig dazu, weil ihm die Kraft fehlt. Wir stehen damit vor einer modernen Problematik. Bevor sich ihr Ich ausgeformt hat, wollen viele sich selbst dem Grenzenlosen öffnen. Bevor sie eine Grenze und Kraft gefunden haben in individueller Lebensform, möchten sie schon, sich entgrenzend, am universalen Leben teilhaben. Hierzu sagt der Autor der „Wolke" im Stufenschema des Mittelalters: Du mußt Stufen durchlaufen (S. 29).

Die erste Stufe ist das schlichte christliche Leben. Das heißt für den mittelalterlichen Menschen: du mußt wissen, was sich als Mensch gehört; du mußt für dein eigenes Haus und für deine Familie sorgen können und Gott recht verehren. Die erste Stufe heißt: sei ein tüchtiger, tauglicher, frommer Mensch.

Daraus entwickelt sich, weil der Mensch ja zu mehr bestimmt ist, die nächste Stufe. Wenn die erste Stufe erfüllt ist, wenn alles außen stimmt, ist die Zeit reif für die Sehnsucht nach tieferer Gotteserfahrung. Denken wir an das eigenartige Phänomen, daß gerade in einer Zivilisation, in der alles da ist, Haus, Auto, Fernseher und Swimmingpool, urplötzlich etwas Neues auftaucht. Einmal die Erkenntnis, daß all dies den Hunger nicht stillt, und andererseits die Suche nach dem, was den Hunger wirklich stillen kann. Es kommt etwas Besonderes; die Suche nach persönlichem Kontakt mit Gott. Auf der ersten Stufe genügt es dem Menschen, z. B. zu wissen: Der Pfarrer predigt mir von Gott und seiner Liebe, und ich glaube daran. Doch das ist noch keine persönliche Erfahrung. Jetzt beginnt die Suche und die Sehnsucht, selbst zu erfahren, ob das stimmt. Die Sehnsucht, Gott selbst zu berühren, nicht nur daran zu glauben, daß Berührung möglich ist.

Aus dieser besonderen Stufe erwächst die außergewöhnliche Sehnsucht, die nicht für die breite Masse ist, wie die „Wolke" meint. Sie setzt einen besonderen Ruf voraus, der sich im radikalen Einsatz für den Schatz im Acker zeigt, der alles daran setzt, ihn zu gewinnen. Dies könnten wir spirituelle Existenz nennen, die sich realisiert in der innersten Einsamkeit vor Gott, in kontemplativer Sehnsucht.

Aus dieser dritten, der außergewöhnlichen Stufe, entwickelt sich nach der „Wolke" die Stufe der Vollendung. Diese Stufe des Vollendetseins wird im irdischen Leben nie ganz erreicht. Sie beginnt keimhaft, hat aber niemals ein Ende, denn sie reicht in die Ewigkeit der Ewigkeiten hinein, als ständiger Prozeß des Sichvollendens in Seiner Wirklichkeit. Aber in der Kontemplation, dem Schwerpunkt der dritten Stufe, entfaltet sich bereits dieses Leben des Vollendetseins. Der Ausgangspunkt des inneren Aufstiegs ist also der reife Mensch, der seine Weltaufgabe meistern kann und der nicht aus Angst vor der Weltaufgabe sich in den Raum der Kontemplation flüchtet. Es geht nicht um Regression in den Mutterschoß, sondern um Progression in den universalen Schoß Gottes hinein.

b) Motivation

Zum Start gehört die rechte Motivation und das Streben nach ethischer Verantwortung.

Die „Wolke" warnt gleich zu Beginn, das Buch unmotivierten Menschen in die Hand zu geben (S. 27). Das richte nur Unheil an.

Die rechte Motivation aber entwickle sich durch das Studium der heiligen Schriften. Das verbindet die Wolke mit allen anderen Weganleitungen: das Studium der Schriften gehört zum Anfang. Es sollen die

Erkenntnisse, die andere in ihren geistigen Erfahrungen empfingen, vor Augen treten, um zu erkennen, wohin der Weg geht. Die Sehnsucht soll sich daran entzünden, bis man sich selbst auf den Weg machen kann.

Das zweite ist entschiedenes Streben nach ethischer Vervollkommnung (S. 27). Im Westen wird oft unterschlagen, daß Yogapraxis und Zen-Übung Grundhaltungen voraussetzen wie: Großmut, Barmherzigkeit, wahrer Glaube und absolute Ehrlichkeit. Wenn einer sich nicht darum bemühe, hänge seine Meditation in der Luft.

Die „Wolke" baut also zuerst die rechte Motivation auf und bringt erst dann die Anleitung zum kontemplativen Leben. Das erste ist: der Durst nach Gott. „Schau nur auf das, was vor dir liegt, so wirst du auf dem rechten Weg bleiben. Eines ist jetzt entscheidend: willst du vorankommen, mußt du eine ganz tiefe Sehnsucht nach Gott in dir nähren" (S. 30). Schon jetzt auf den ersten Seiten soll eine Fehleinstellung vermieden werden. Der Schüler soll nicht meinen, er müßte die Sehnsucht selber erzeugen. Die „Wolke" sagt: „Diese Sehnsucht ist zwar letztlich sein Geschenk an dich, doch es liegt an dir, sie zu vertiefen" (S. 30). Ich muß *mit*wirken, Gott aber wirkt das Entscheidende. Sein Wirken kommt jedoch nur zum Ziel, wenn ich mitmache. Die Sehnsucht ist mir gegeben mit meinem ganzen Sein, aber an mir liegt es, sie zu vertiefen. „Schließe die Türen und Fenster deiner Sinne, daß nichts Schädliches und Störendes eindringen kann, erbitte dir dazu seine Kraft, dann wird er dich selber vor ihnen schützen. Mache dich also auf!" (S. 30).

c) Waches Verlangen

Vergiß die Vergangenheit: sie liegt in seinem Erbarmen. Niemand soll sich grämen, wie auch das Leben verlaufen ist, wie sündhaft und wie heilig auch immer. Es liegt in seinem Erbarmen. Jetzt geht es darum, die Zukunft im Jetzt zu leben. „Was soll ich tun?" wirst du fragen. „Und wie soll ich beginnen?" – „Tu nichts anderes, als dein Herz voll Vertrauen und Liebe Gott hinzuhalten." Das ist zunächst Aktivität: „Sehne dich nach ihm, nicht nach seinen Gaben, Trost, Glück, Zufriedenheit. – Laß es deine einzige Sorge sein, mit ganzem Verlangen und ganzer Aufmerksamkeit auf ihn ausgerichtet zu sein, versuche mit allen Kräften, alles andere zu vergessen" (S. 31).

Das Buch ist pädagogisch aufgebaut. Wir wissen, am Anfang steht aktives Bemühen, die Dinge hinter sich zu lassen, sich auszurichten, zu vergessen. Später werden wir sehen, wie sich das wandelt und wie passives Empfangen entscheidend wird. „Beschäftige dich weder in deinen Gedanken noch in deinen Wünschen mit irgendeinem von Gottes Geschöpfen und dem, was sie betrifft" (S. 31).

Das scheint vielleicht nicht richtig zu sein. Oft kommt die Frage: ja, darf ich das denn? Ich darf doch meinen Mann und meine Kinder nicht vergessen, ich habe Pflichten und Verantwortung. Die „Wolke" sagt: es ist richtig, sie jetzt in dieser Übung zu vergessen. Du kannst sie getrost in die Hände Gottes legen. Jetzt ist wichtig: „Löse dich innerlich von allen Geschöpfen und schenke ihnen keine Aufmerksamkeit mehr (S. 31). Später wird der Schritt noch radikaler: ich bin selber Geschöpf und muß mich daher selbst völlig vergessen. Doch darüber später. „Wenn du deine Liebe einzig auf ihn richtest und alles andere vergißt, werden die Engel und die Heiligen sich freuen und dir in jeder Weise beistehen" (S. 31).

d) Widerstand

Gleich folgt die Erfahrung: wenn diese Hilfen kommen, kommt auch der Widerstand. „Der Widersacher wird toben, sich gegen dich stellen und dich hindern, so gut er kann" (S. 31). Ob Sie's nun in solchen Worten ausdrücken oder nicht, der Widerstand für die Bewegung der Wandlung taucht auf. Je stärker eine Wandlungsbewegung zustande kommt, um so stärker wird der Widerstand. Er beginnt meist mit einer anscheinend ganz klaren Einsicht. Da setzt sich ein Mensch hin und möchte meditieren. Aber er wird den Gedanken nicht los: „Das ist doch Unfug. Du könntest deine Zeit viel besser nutzen. Zu Hause ist soviel zu tun, und soviele Menschen warten auf dich." Die Vernünftigkeit ist daran das Gefährliche. Weil der Gedanke so einsichtig ist, blendet er mich und folge ich ihm, hat der Widersacher gewonnen. Er möchte, daß ich nicht zur Quelle finde, sondern mich an der Oberfläche bewege. Deswegen heißt ja diese Widerkraft: blendender Licht-Engel, Lucifer.

Sein Licht macht mich blind für das Wahre, ganz im Gegensatz zum göttlichen Licht, das mir das Verborgene enthüllt und mich in die Geborgenheit des Seins einläßt. Schon jetzt sei gesagt, von diesem „Tun haben alle anderen Gewinn." Der Zen-Meister sagt: „Wenn du sitzt, sitzt du fürs ganze Universum." Das begreift nur, wer etwas von der Allverbundenheit des Lebens in der Versenkung erlebt hat. Wo sich ein einziges Leben ordnet, ist ein Kristallisationspunkt der Neuordnung des Universums. Die „Wolke" sagt: „Von deinem Bemühen werden alle Menschen Gewinn haben.

Du wirst das allerdings nie ganz verstehen, wie das vor sich geht. Selbst das Leiden der Seele im Reinigungsort wird dadurch erleichtert" (S. 31). So weit geht die Auswirkung dieses Bemühens, bis in den Reinigungsort und weiter: „Durch dein Mühen um Kontemplation gewinnt deine Seele mehr an Reinheit und Kraft, als durch alle anderen Anstrengungen zusammen. Diese Übung scheint dir das einfachste der Welt zu sein, wenn Gott deine Seele mit fühlbarer Freude erfüllt" (S. 31). Wir wissen das alle, an dem einen Tag geht es wie von selbst. Alles ist voller Licht und Ruhe. „Entzieht er dir aber seine Hilfe, dann fällt dir die Übung so schwer, daß sie dir fast unmöglich erscheint" (S. 31). – Da sitzt man und weiß nicht, was man falsch macht. „Doch laß nicht nach, und übe so lange, bis sie dir wieder Freude macht" (S. 31).

e) Im Dunkel zu Hause sein: das „Nichtwissen"

Für den Anfänger ist es normal, nichts wahrzunehmen als ein gewisses Dunkel, das das Bewußtsein umhüllt wie eine Wolke, in der man nichts erkennt. Manche denken: „Jetzt döse ich vor mich hin." Sie können noch nicht unterscheiden zwischen Dösen und einem entspannten Bewußtsein ohne Gedanken. „Du scheinst weder etwas zu erkennen noch zu spüren, außer einem reinen Verlangen nach Gott, das im Innersten deiner Seele lebendig ist. Du bist enttäuscht zunächst, denn du kannst Gott weder mit deinem Denken erfassen, noch fühlst du dich von seiner Liebe überströmt. Versuche, dich in diesem Dunkel zu Hause zu fühlen" (S. 32). Das ist der erste Schritt: im Dunkel zu Hause fühlen. „Abgeschiedenheit" nannte es Meister Eckhart. Jesus sagt in seiner Gebetsanleitung: „Gehe ins Verborgene, denn im Verborgenen ist der

Vater." Also sich im Dunkel zu Hause fühlen und darin gegenwärtig sein.

„Wir wollen den Unterschied herausstellen zwischen Kontemplation und dem, was äußerlich so ähnlich aussieht, nämlich Träumen, Phantasieren und Gedanken nachhängen. Diese entspringen einem verträumten, phantasievollen und wißbegierigen Kopf, während die blinde Regung der Liebe einem offenen und hingegebenen Herzen entspringt" (S. 35). Die Neigung zum Träumen und Phantasieren muß also unter Kontrolle genommen werden, soll sich die kontemplative Liebe voll im Herzen entfalten.

f) Gefährliche Aktivität

Nun setzt sich der Mensch hin und sagt entschlossen: das mach ich jetzt. Doch die „Wolke" warnt: „Manche hören davon und versuchen, durch eigene Anstrengung das zu erreichen. Sie quälen ihren Verstand und überanstrengen ihre Phantasie. Was dabei herauskommt, ist eine selbstgemachte Liebe, die weder wirklich menschlich ist, noch göttlich ist. Es ist gefährlich, sie auf diese Weise zu erzwingen; ich fürchte, ein solcher Mensch wird eines Tages seinen Verstand verlieren oder durch den Widersacher des Lebens seelischen Schaden davontragen, falls nicht Gott selbst eingreift und erkennen läßt, wie falsch das ist, was er tut – und er bereit ist, Rat anzunehmen" (S. 35/36).

Ein wichtiger Punkt: der Schüler muß Rat annehmen. Das ist das Kriterium für lautere Gesinnung. „Sei also um Gottes willen vorsichtig, und quäl dich nicht ab. Laß Sinne und Verstand ruhen. Ich sprach von Dunkel und Wolke. Wenn ich vom Dunkel spreche, meine ich: keinerlei bewußtes Erkennen ist mehr vorhanden" (S. 36). Die Wolke des Nichtwissens ist ein Dunkel des bewußten Erkennens, entspanntes Wachsein ohne Gedanken. „In diese Wolke einzutreten, rate ich dir, und dich dort zu Hause zu fühlen in schweigender Hingabe der Liebe" (S. 36).

g) Die Wolke des Vergessens

Damit das aber gelingt, bedarf es einer zweiten Wolke, der Wolke des Vergessens. Wer sich hinsetzt zum Meditieren, dem fällt vielerlei ein. All die Verpflichtungen und Verantwortlichkeiten und vieles mehr. In der Wolke des Nichtwissens kannst du dich nur aufhalten, wenn du in der Wolke des Vergessens bist (vgl. S. 36). Diese liegt unter uns, alles soll unter dieser Wolke begraben werden. Durch diese Anleitung wird etwas ähnliches bewirkt wie bei der Hara-Übung im Zen. Die Vorstellung, allen Ballast nach unten zu bringen, unter die Wolke des Vergessens, schafft einen Schwerpunkt im Becken. Im Streben der Sehnsucht nach oben wird der Mensch aufgerichtet und gewinnt den oberen Pol. Zwischen diesen Polen: Gelassenheit und Aufgerichtetheit erwacht das Herz, das unterwegs ist zu Gott.

Nochmals zur *Gelassenheit:* „Ich bitte dich also, sei vorsichtig, und übe nicht krampfhaft. . . . Übst du krampfhaft, wird das Ergebnis nur Überspannung sein." . . . „Meide jede Übertreibung und lerne, an Leib und Seele entspannt, heiter und gelassen dich in dieser Übung Gott hinzugeben" (S. 85). Heiter, gelassen und entspannt, das ist die *Hesychia (griech.* „Ruhe"). „Warte geduldig und bescheiden auf sein Wirken in dir – und lechze nicht gierig wie ein ausgehungerter Hund nach seiner Gnade" (S. 85) – oder nach Satori! „Halb im Scherz sage ich: Versuche, das schreiende, begierige Verlangen in deiner Seele zu zähmen und die Sehn-

sucht deines Herzens selbst vor Gott zu verstecken"
(S. 85). Mit einem Kinderherzen soll man zu ihm kommen.

h) Störende Gedanken

Da fragt nun der Schüler: Wie soll ich mich von meinen Gedanken, von meinen Plänen und all dem, was in mir lebt, lösen? Der erste Rat dazu lautet: Schlag dich mit keinem Gedanken herum, sonst bist du ständig in Streit verwickelt. Tu so, als gäbe sie es nicht. Schau ihnen über die Schulter, als wenn dich etwas anderes interessiere (vgl. S. 68). Manchmal geht dies ganz gut, doch manchmal sind die Gedanken so aufsässig, daß man mit dieser Art des Übersehens gar nicht weiterkommt. Wenn sie einen überfallen, wie eine Schulklasse über einen auf dem Schulhof herfällt, dann strecke die Waffen, ergib dich und sag, ich kann nicht mehr. Dann geben sie auf (vgl. S. 68). Also auch hier das alte asiatische Prinzip, das Yang, den Angriff, mit Yin, mit Unterwerfung, zu beantworten. Der Autor der „Wolke" hat wohl nie etwas von diesen Prinzipien gelesen, und kommt doch zur gleichen Erfahrung: wenn ich Yang mit Yang beantworte, gibt es Streit und Zerstörung. Yang braucht Yin, dann geht es.

i) Mantra-Technik

Ein zweiter Rat lautet: Nimm ein einfaches Wort – übe also Mantra-Meditation, die sich in der christlichen Form des Jesusgebetes so hoch entwickelt hat – nimm ein Wort, ein ganz kurzes, und laß dieses Wort ganz. Versuche nicht zu begreifen, was es meint. Nimm zum Beispiel das Wort „Gott". Aber denk nicht daran, was es meint. Werde eins mit dem Wort. „Deshalb rate ich dir, zerlege diese Worte nicht, laß sie ganz in ihrer Einheit. Denkst du an Sünde" – das ist die Meditation unserer irdischen Befindlichkeit im Gegensatz zum Licht –, dann „habe nichts anderes im Bewußtsein als dich selbst, doch keine Einzelheit an dir" (S. 74). Das heißt also, werde ganz eins, ohne nachzudenken. „Mag diese dunkle . . . Wahrnehmung der Sünde, die dir ganz unbestimmt, wie etwas Dunkles, erscheint und die doch nichts anderes ist als du selbst, dich reizen wie ein eingesperrtes wildes Tier, nach außen wird dir niemand etwas anmerken. Nach außen erscheinst du ruhig und gefaßt. Im Sitzen, Gehen, Liegen, Ruhen, Stehen oder auch Knien wirst du völlig gelöst und ruhig sein" (S. 74). Die innere Identifikation mit diesem Wort selbst soll man benutzen wie einen Schild, gegen aufsteigende Gedanken. Das ist der eine Aspekt: Abwehr störender Gedanken. Der andere ist das *Bündeln der Aufmerksamkeit,* die er Sehnsucht nennt. Die Aufmerksamkeit wird immer dichter und dichter. Man könnte es mit einem Ölbohrer vergleichen, der immer tiefer bohrt, oder, wie es die „Wolke" tut, mit einem Speer, der immer tiefer in die Wolke des Nichtwissens eindringt. Daher spricht man von Bewußtseinsspitze, *one-pointedness,* bis das Bewußtsein so gebündelt ist, daß meine ganze Existenz zum Schrei wird nach Gott. Anders ausgedrückt, mein Bewußtsein wird so tief, daß ich entdecke: alle Fasern meines Lebens hungern nach ihm.

j) Der entscheidende Schritt: sich vergessen

Das waren die Vorstufen. Gelingt es dem Schüler, alles auszublenden und nur im Bewußtsein zu weilen: *ich bin – er ist,* dann kommt der nächste Schritt: sich selbst als Gegenüber zu vergessen, um ganz aufgenommen zu werden in die Einheit. Der entscheidende

Schritt ist das *Vergessen seiner selbst.* „Du mußt jetzt lernen, nicht nur alle Geschöpfe und was sie betrifft, zu vergessen, sondern auch dich selbst mit allem, was du je in Gottes Dienst getan hast. Wer wirklich liebt, liebt nicht nur den, den er liebt, mehr als sich selbst, sondern er vergißt sich selbst um dessentwillen, den er liebt" (S. 81). „Lerne vor allem, dich selbst zu vergessen, denn alles Wissen und Erfahren stammt aus dem Wissen und Erfahren deiner selbst. Es ist viel leichter, die Geschöpfe zu vergessen, als dich selbst. . . . Nachdem es dir schließlich gelungen ist, alle Geschöpfe und was sie betrifft zu vergessen, wird noch immer deutlich und unverhüllt die Erfahrung und Wahrnehmung deines eigenen Seins zwischen dir und Gott stehen. Glaube mir, deine Liebe wird nicht vollkommen sein, bis nicht auch das überwunden ist" (S. 81).

An diesem Punkt erlebt der Schüler die *Ohnmacht,* sich von sich selber zu lösen. Er erlebt es als ungeheures Leid, als eine Gefangenschaft, als Unfähigkeit, weiterzukommen. „Du wirst dieses Innesein und Gewahrsein deines eigenen Selbst nicht überwinden, wenn Gott dir nicht auf besondere Weise beisteht und du seiner Führung vollkommen folgst. Ein starkes geistiges Leid wird dir anzeigen, ob du seiner Gnade völlig entsprichst" (S. 82). Gott befreit mich jetzt, er nimmt jetzt alle Führung in die Hand und macht mich von meiner Selbstbezogenheit los. Je tiefer jemand zu sich selber kommt, um so deutlicher wird, wie er an sich selbst haftet.

Nun bringt dieses Leid den Schüler in Gefahr, sich selbst zu bemitleiden, sich in diesem Leiden wohlzufühlen und sich in eine falsche Leidensmystik hineinzusteigern. Daher wird gewarnt: „Verliere dich nicht in dieses Leid, wenn es dich überfällt, achte darauf, daß du Leib und Seele nicht überlastest. Sitze entspannt und ruhig da, dem tiefen Leid ganz hingegeben" (S. 82) – das ist das *Leid der Wandlung, der Reinigung.* – Das Leiden ist nötig und gut, „doch nur wer seines eigenen Seins innewurde, begreift den Grund für dieses tiefe, alles durchdringende Leid" (S. 82). „Ist dieses Leiden erfüllt von heiligem Verlangen nach Gottes Heil, dann ist es richtig" (S. 82). Heiliges Verlangen, d. h. die Erkenntnis, daß dieses Verlangen aus Gottes eigenem Grund in mir lebendig geworden ist. Nur solches Leid ist richtig. Dann ist es auch nicht Ausdruck selbstquälerischer Lust. Trotz aller Qual hat der Schüler nie das Verlangen, nicht zu leben. Er freut sich, daß er lebt, und dankt Gott für das Geschenk seines Seins. Und doch hat er den Wunsch, von sich selbst frei zu werden, um Ihn erfahren zu können. Also nie das zerstörende Leid, in das man sich hineinsteigern kann, sondern das Leid, entstanden in der Berührung mit dem ganz anderen.

k) Gott vergessen: das Nichts

Sich selbst vergessen – ist das eine. Dem folgt der nächste Schritt: *Gott vergessen.* Immer weiter wird der Schüler hineingeführt in einen Bereich ohne Gestalt und Inhalt. Das Bewußtsein seiner selbst wird verlassen. Er vergißt sich selbst, und es bleibt nur noch Er. Doch weil die Gefahr besteht, ihn immer wieder in einer Gestalt zu denken und an einen Ort zu lokalisieren, wird gesagt: „Jetzt geht dein Streben auf ihn, aber nicht irgendwohin, sondern ins – Nirgendwo. Ins *Nirgendwo und auf ein – Nichts.*" Das ist erschreckend. Vorhin wurde von der Liebe zu Gott und der Sehnsucht nach ihm gesprochen, und nun kommt – Nichts (vgl. S. 112). „Ein anderer würde dir raten, deine Sinne,

dein Denken und Streben nach innen zu wenden und
dort Gott zu verehren. Wenn das auch richtig gesagt
ist und niemand etwas dagegen einwenden könnte, so
ziehe ich es doch vor, dir diesen Rat nicht zu geben aus
Sorge, du könntest meine Worte buchstäblich nehmen. Meine Anweisung klingt paradox: Versuche
nicht, dich in dein Inneres zurückzuziehen. . . . Ich
möchte aber auch nicht, daß du außerhalb von dir,
über dir, hinter dir oder neben dir bist. Wo also soll ich
denn sein? fragst du, nach deinen Worten doch nirgends. Genau das meine ich. Ich möchte, daß du tatsächlich ‚nirgendwo‘ bist. Denn leiblich nirgendwo
sein, ist geistig überall sein" (S. 111). Damit wird die
kosmische Dimension angesprochen, die nicht lokali-
sierbar ist, weil alles, was einen Ort hat, in die Koordi-
nate von Raum und Zeit gehört. Die Wirklichkeit
aber, die wir suchen, liegt nicht in der Raum-Zeit-Ko-
ordinate. „Deine geistige Übung ist zwar leiblich ’nirgends‘, doch dein Geist wird dort sein, worauf er sich
mit seiner Sehnsucht richtet" (S. 111). Und dieses:
„worauf sich die Sehnsucht richtet" wird nun als
„nichts" erklärt. „Vergiß das Überall und das Etwas"
(S. 112). Gott ist nicht ein Etwas, das wir suchen können. Solange wir noch meinen, er sei „etwas", suchen
wir ein Geschaffenes, aber nicht ihn. „Sie verblassen
vor diesem gesegneten Nirgendwo und Nichts"
(S. 112) – hier wird die alte theologische Tradition der
„benedictio vacui", des Segens des Leerseins, herange-
zogen. „Sorge dich nicht, wenn deine Sinne und Fähigkeiten dieses Nichts nicht fassen können. Es kann
nicht anders sein. Dieses ‚Nichts‘ ist so groß und so
tief, daß es für sie nicht erreichbar ist. Es läßt sich nicht
erklären, nur erfahren. Wer noch nicht lange mit diesem ‚Nichts‘ vertraut ist, findet es dunkel und unfaß-

lich. Was als tiefe Dunkelheit erfahren wird, ist in Wahrheit geistiges Licht, das diese Menschen blendet. Wer wird dieses Nichts wohl als Leere verspotten? Natürlich unser oberflächliches Selbst, nicht unser wahres Selbst. Unser wahres Selbst nennt es unermeßliche Fülle. Denn in diesem Dunkel erkennen wir alles in Einem, das Wesen aller körperlichen und geistigen Dinge, ohne unsere Aufmerksamkeit auf etwas im einzelnen zu richten" (S. 112). „Die innere Erfahrung dieses Nichts und Nirgends verwandelt die Liebe eines Menschen" (S. 112). „Übe dich also weiter in dieses ‚Nichts' ein, das ‚nirgends' ist, und versuche nicht, deine Sinne mit ihren Wahrnehmungen in deine Übung mit hineinzunehmen" (S. 113).

l) Die Liebe vergessen

In diesem Nichts gilt es auch, die *Sehnsucht nach Gott zu verbergen* (vgl. S. 85) – damit er uns sucht und findet. Wir lassen uns finden. Es ist wie beim Versteckspiel. Wenn du selbst vor dir und vor Gott deine Sehnsucht verbirgst, dann wirst du erleben, wie er dich sucht. Wenn er dich dann gefunden hat, welch eine Freude! (Vgl. S. 85 u. S. 111). Wer kennt nicht das Versteckspiel zwischen Kindern und Eltern! So ist es in dieser inneren Erfahrung. Wir werden gesucht, wenn wir uns selbst verborgen haben, da er sich dann aufmacht, uns zu suchen. Dieses Gefundensein erscheint mir als Bild für die *Advaita*-Erfahrung des Einsseins.

II. Der Weg des Zen

Nur wenige Aspekte des Weges der „Wolke" konnten aufgezeigt werden; versuchen wir ganz knappe Parallelen der Zen-Praxis zu zeichnen, ohne auf die Unterschiede näher einzugehen, die sich durch die Einbettung in die buddhistische Weltsicht ergeben.

1. Zen setzt an der *gleichen Grunderfahrung* an, daß die Wirklichkeit aller Wirklichkeiten in keinem Gedanken, in keinem Bild noch Wort eingefangen und ausgedrückt werden kann, dennoch im Menschen die Möglichkeit schlummert, ihrer inne-zu-werden. Nicht jedoch in der Gebärde des Zugreifens (Subjekt-Objekt-Gegensatz), sondern in der Gebärde des sich völlig in sie Hineinöffnens (Subjekt-Objekt-Einheit).

2. Der Weg zum Inne-Werden umfaßt *drei Stufen:*

a) *Ausblendung* der Sinneseindrücke und der Denkverläufe; dazu werden verschiedene technische Hinweise gegeben: – Gedanken und Gefühle distanziert beobachten; – Gedanken ziehen lassen; – sich nur auf den Atem konzentrieren; – sich nur auf das Sitzen konzentrieren mit Bewußtseinsbrennpunkt im Hara; mit einem Koan ganz eins werden. Je nach Schüler, nach Zen-Richtung oder geistlichem Fortschritt des Übenden werden diese Techniken angewandt. Ziel ist das *munen-muso,* das Bewußtsein ohne Gedankenverlauf.

b) *Sanmai*

Das entspannte Bewußtsein ohne Denkverläufe, zumindest ohne störende, dürfte erlebnismäßig dem Zustand „ich bin – Er ist" der „Wolke" entsprechen. Ein einheitliches Bewußtsein, getragen von Ruhetönung, ganzheitlich orientiert, bestimmt vom Inne-sein der eigenen Existenz vor dem unsichtbar Umgreifenden.

c) *Satori*

Die Veränderung dieses Bewußtseinszustandes in den der Einheit mit der Buddhanatur, der Lichtnatur, läßt sich niemals aktiv erreichen, sondern vollzieht sich am Menschen, wenn er alles losgelassen hat: sich selber, sein Suchen, selbst das Ziel der Buddhanatur. Wenn Leib und Seele ausgefallen sind.

Es ist die Richtung ins Nirgendwo: richtungslose Gerichtetheit; es ist das Schauen des Nichts: als Fülle. Die „Wolke" beschreibt es als glückerfülltes Gefundenwerden von der suchenden Liebe Gottes, des Unsichtbaren. Teilhabe am Licht, Bewußtwerden der eigenen Lichtnatur, Erkennen des Lichtes Gottes, welcher das Leben alles Gewordenen darstellt (vgl. die Logos-Theologie des Johannesevangeliums). Darum nennt Zen das Erwachen zur verborgenen Realität: *Kensho* = Schau des ursprünglichen Angesichts.

Getragen ist dieser Weg von absolutem Vertrauen in die Tiefe des Lebens und der restlosen Bereitschaft zur Selbstlosigkeit, wie sie im Sutra *„Hanya hara mita"* täglich zum Ausdruck kommt.

3. Zurück zum Marktplatz

Das Finden der verborgenen Realität ist jedoch kein Endpunkt. Satori ist Beginn. Aus Erleuchtung will ein Leben im Licht werden. Der Erleuchtete kehrt auf den Marktplatz zurück. Es geht dann darum, in allem Tun aus der letzten Wirklichkeit zu leben; es ist dann

gleich, was zu tun ist: „Hast du deinen Teller schon gesäubert?" fragt der Zen-Meister.

Es geht um die Wachsamkeit des Geistes im Angesicht
oder in Verbindung mit dem universalen Leben. Was
der Autor der „Wolke" zu Beginn als Zielvorgabe hin-
stellte: „Gott ist dein Sein", wird am Ende existentiell
tragendes Bekenntnis: Er ist mein Sein!

Hier ist im Zen und in der christlichen Kontemplation
das Entscheidende der *Advaita*-Erfahrung aufgenommen. „Wir heißen nicht nur Kinder Gottes, sondern
sind es wirklich" (1 Joh 3, 1).

Kontemplative Existenz mitten in der Welt als Zeug-
nis vom befreienden Licht ist das Ziel der „Wolke"
und das Ziel des Zen.

William Johnston

Anleitung zur Meditation

Ich wurde gebeten, eine Anleitung zu christlicher Meditation zu schreiben. Eine solche Anleitung scheint einem echten Bedürfnis der modernen Welt zu entsprechen. Dennoch schrecke ich vor dieser Aufgabe zurück, weil ich weiß, daß Meditation etwas anderes ist als Kochen. Sie kann nur von jenem großen Meister gelehrt werden, den Augustinus den *„Magister Internus"*, den inneren Meister, genannt hat. Horchen Sie auf seine Stimme, und Sie werden meditieren lernen.

Desungeachtet ist es jedoch auch nützlich, als Mensch Anweisungen zu geben; daher möchte ich einige Grundsätze und Richtlinien niederschreiben, die für Menschen auf der Suche nach einem Meditationsweg nützlich sein können. Dabei will ich mich nicht auf meine eigene Erfahrung und Weisheit verlassen, sondern auf die Worte dessen, der als Meister mit solcher Autorität gesprochen hat, daß die Menschen staunten. In erster Linie werde ich mich von den Worten der Bergpredigt inspirieren lassen. Sie richten sich ja nicht nur an Christen und Juden, sondern auch an Zen-Buddhisten und überzeugte Hindus. Wenn wir uns die treffenden Ratschläge Jesu aus dem 5., 6. und 7. Kapitel bei Matthäus zu Herzen nehmen und sie in die Tat umsetzen, können wir in den königlichen Weg der Meditation eingeführt werden und zur tiefsten Erleuchtung gelangen.

I. Laßt die Ängste los

Hören Sie die Worte Jesu: „Darum sage ich euch: seid nicht ängstlich besorgt für euer Leben, was ihr essen und trinken sollt, noch für euren Leib, was ihr anziehen sollt! Ist nicht das Leben mehr als essen und der Leib mehr als die Kleidung?" (Mt 6, 25). Wenn Sie sich zur Meditation hinsetzen, lassen Sie alle Ihre Ängste los. Wenn ich hier Ängste sage, meine ich auch Überlegen, Denken, Zerstreutheit, Planen und alles andere. Lassen Sie alles los. Das ist nicht leicht, denn wie wir alle wissen, ist der menschliche Geist ruhelos. Er schaut voller Angst in die Zukunft; er schaut mit Nostalgie oder mit Schuldgefühlen in die Vergangenheit. Er ruht selten im Hier und Jetzt. Jesus sagt uns jedoch ganz eindeutig, daß wir die Angst um die Zukunft loslassen sollen, um im Jetzt zu verweilen. „Sorget also nicht auf das Morgen hin, das Morgen wird für sich selber sorgen. Ein jeder Tag hat an seiner Plage genug" (Mt 6, 34).

Das erste ist also, alle Zerstreuungen loszulassen. Natürlich können Ängste in Ihnen aufsteigen. Wenn sie kommen, hören Sie auf den praktischen Rat eines großen Zen-Meisters: „Wenn ihr vollkommene Ruhe im Zazen erreichen wollt, solltet ihr euch nicht von den vielen Bildern, die in euch aufsteigen, beunruhigen lassen. Laßt sie kommen und gehen. Dann werden sie unter Kontrolle sein. Das ist nicht einfach. Es scheint zwar leicht, aber es erfordert einen besonderen Einsatz. Wie man diese Mühe leistet, ist das Geheimnis des Übens."[1] Noch einmal: „Wenn Ihr Zazen übt, ver-

---

[1] *Shunryu Zuzuki*, Zen-Geist – Anfänger-Geist. Theseus Verlag, Zürich 1975. S. 33.

sucht nicht das Denken zu verdrängen. Laßt es von alleine aufhören. Wenn euch etwas durch den Kopf geht, laßt es kommen und gehen. Es wird nicht lange bleiben. Wenn ihr das Denken zu verdrängen sucht, bedeutet das, daß ihr davon beunruhigt seid. Laßt euch durch nichts stören."[2] Ja, lassen Sie sich durch nichts beunruhigen.

Wenn Sie möchten, können Sie einfach die Worte des Herrn wiederholen: „Seid nicht ängstlich . . ." Andere möchten lieber die Worte des Petrus nehmen, die er bei der Verklärung gesprochen hat: „Herr, es ist gut für uns, hier zu sein . . ." (Mt 17, 4). Jedwedes Wort der Schrift, immer wieder freudig wiederholt, kann eine ausgezeichnete Form der Meditation sein. Sie werden erfolgreich alle Ängste und alles nutzlose Denken und Überlegen abwehren. Darüber hinaus versetzt uns diese einfache Übung in das Jetzt, in die geistige Gegenwart.

Wie ich bereits gesagt habe, werden Sie sich ganz allgemein Ihrer Ängste bewußt sein. Sie werden wissen, daß solche in Ihnen sind. Hängen Sie nicht an ihnen. Das Vorgehen ist ähnlich dem, was Carl Rogers lehrt, wenn er sagt (er spricht in diesem Zusammenhang von zwischenmenschlichen Beziehungen), man solle sich des Zorns oder der Frustration oder der Langeweile oder der Furcht oder der Verwirrung bewußt sein. Seien Sie sich ihrer bewußt, sagt er, und Sie werden mit ihnen umgehen können. Auf dieselbe Weise können Sie sich Ihrer Gedanken während der Meditation bewußt sein, ohne an ihnen zu hängen. Wie Meister Zuzuki sagt: Lassen Sie sie kommen und gehen. Schauen Sie sie an, als gehörten sie zu jemand anderem. Dies

[2] A.a.O., S. 35.

klingt sehr einfach, wie schwer ist es jedoch! Denn wir lieben unsere Ängste; wir hängen an ihnen und genießen sie. Wir bedürfen des Rates Jesu: „Seid nicht ängstlich . . ." Seine Worte werden uns nach und nach die große Kunst des Loslassens lehren.

II. Achtet auf den Atem

Das Loslassen der Ängste ist jedoch nur der negative Aspekt der Meditation. Im gleichen Zusammenhang fährt Jesus mit einer sehr positiven Erklärung fort: „Ist nicht das Leben mehr als die Kleidung und der Leib mehr als die Nahrung?" (Mt 6, 25). Diese Worte sind voll gesunden Menschenverstandes . . . Schauen Sie aus dem Fenster, und Sie werden eine Welt sehen, die versessen ist auf Nahrung, Kleidung, auf Gas und wirtschaftlichen Fortschritt . . . So wünschenswert und notwendig diese Dinge auch sind, sie liegen an der Peripherie . . . Es geht um das Leben. Es geht um den Leib . . . Von welchem Nutzen sind Öl, Blech, Kupfer und Gummi und all die anderen Dinge ohne den Leib, in dem Leben pulsiert? In der Meditation kommen wir zum Erleben unseres Lebens und unseres Leibes. Wir kehren bei uns selber ein und kommen in Berührung mit dem Tiefsten in uns . . . Zunächst jedoch lassen Sie mich vom *Leben* sprechen . . .
In allen großen Kulturen wird das Leben durch den *Atem* symbolisiert . . . Es ist tatsächlich so, wenn Sie Ihren Atem erfahren, erfahren Sie Ihr Leben. So sitzen Sie einfach ruhig, mit geradem Rücken, und werden sich Ihres Atems bewußt. Mischen Sie sich als erstes nicht ein . . . Versuchen Sie nicht, ihn kurz oder lang zu machen oder ihn anzuhalten . . . Im Pranayana des

Yoga gibt es solche Atemübungen; ich empfehle sie hier jedoch nicht . . . Seien Sie sich nur Ihres Atems bewußt, einfach wie er ist. Wenn Sie wollen, können Sie für sich wiederholen: „Ist das *Leben* nicht mehr als die Nahrung?" Die Betonung liegt dabei natürlich auf LEBEN.

In diesem Zusammenhang möchte ich einen klassischen buddhistischen Text zitieren. Er ist instruktiv für Christen oder für solche, die eine einfache Art der Atem-Meditation lernen wollen . . .

„Ein Mönch geht in den Wald oder zu der Wurzel eines Baumes und setzt sich mit gekreuzten Beinen nieder, richtet seinen Rücken gerade auf und stellt die Achtsamkeit vor sich hin. Achtsam atmet er ein, achtsam atmet er aus . . . Er atmet ein in langen oder kurzen Zügen und merkt, der Atem ist kurz oder ist lang . . ." Dasselbe gilt für das Ausatmen . . . Er übt sich, indem er denkt: „Ich atme ein, ich atme aus und nehme dabei den ganzen Leib deutlich wahr . . . Ich atme ein, ich atme aus und beruhige dabei die Aktivitäten meines Körpers . . . Während der Mönch ein- und ausatmet, in langen oder kurzen Zügen, versteht er, daß er es tut . . ., und er lebt unabhängig von der Welt und greift nach nichts in ihr . . ."[3] Wie deutlich geworden ist, wird man sich hier einfach des natürlichen Prozesses des Atmens bewußt („mindful" = achtsam ist ein großes buddhistisches Wort). „Ich atme ein; ich atme aus." Dies kann man zu jeder Zeit tun . . . Wenn Sie im Bus sitzen, in der Schlange warten, einen langweiligen Vortrag hören, überall können sie meditieren, indem Sie ein- und ausatmen. Wie einfach! Und

---

[3] Hier übersetzt nach *Edward Conze (Ed.)*, Buddhist Texts Through the Ages. Oxford 1954, S. 56.

dennoch wird diese Praxis Ihnen inneren Frieden bringen, innere Kraft und innere Würde. Sie wird Sie mit Ihrem tiefsten Selbst in Berührung bringen. Sie können vielleicht ansatzhaft in Ihrem Leib die Worte Jesu erfahren: „Ist nicht das Leben mehr als die Nahrung?"

Mit der Zeit wird das Atmen von selbst tief und geht bis in den Unterleib. Lassen Sie mich hier anmerken, daß der Unterbauch (*Hara,* wie die Japaner sagen) in allen Formen östlicher Meditation das lebendige Zentrum des Körpers ist. Wenn gewisse westliche Autoren darüber lachen und von der Nabelschau der östlichen Mystiker reden – als ob das völlig absurd sei –, so kann dies seinen Wert nicht mindern. Östliche Mystiker betrachten nicht ihren Nabel im buchstäblichen Sinn des Wortes; nach chinesisch-japanischer Tradition gehen Leben und Energie vom Tanden aus, von jenem Punkt, der ungefähr drei Zentimeter weit unterhalb des Nabels liegt und ausdrücklich *kikai* oder „Ozean der Energie' genannt wird. Das Atmen in diesem Punkt ist nicht nur grundlegend für die Meditation, sondern auch für Judo, Fechten, Bogenschießen, die Kalligraphie und die übrigen Künste.

Lassen Sie mich hier einen Zen-Meister zitieren: „Sitz ganz still, atme ruhig, lasse tiefe Atemzüge kommen, die Kraft des unteren Bauches . . ."[4] Und weiter: „Viele Menschen atmen durch den Mund. Aber jeder sollte durch die Nase atmen und den Atem in den Tanden strömen lassen."[5] Der Atem ist also von grundlegender Bedeutung im Zen . . . Man beginnt mit der Bauch-

---

[4] Vgl. *Karlfried Graf Dürckheim,* Hara. Die Erdmitte des Menschen. Otto Wilhelm Barth-Verlag. München [7]1975.

[5] Ebenda.

atmung, schließlich aber scheint sich dieses Atmen auf den ganzen Körper auszudehnen. Deshalb sprechen einige Meister vom „Atmen durch jede Pore"; ein chinesisches Sprichwort sagt, der Weise atmet durch die Fersen.

Da gibt es einen anderen interessanten Punkt: das Beobachten des Atems geht über in eine geistliche Dimension. Ein guter Meister beobachtet das Atmen sorgfältig (manchmal schaut er durchdringend wie ein Falke) und beurteilt danach den spirituellen Fortschritt und den Grad der Erleuchtung seiner Schüler.[6]

Man gelangt nicht über Nacht zum bewußten Erleben des Atems. Das braucht Zeit. Wenn man jedoch Ausdauer hat, erfährt man nach und nach, daß dieser Atem nicht nur das Leben ist, das den Körper vom Kopf bis zur Zehe erfüllt. Er ist mehr. Das Sanskrit *prana* und das japanische *ki* ist der Atem des Universums, eine kosmische Kraft, die alle Dinge durchdringt. Die Juden glauben, ihr Atem sei der Atem Gottes, dessen Gegenwart ihnen Leben gibt. Für Christen ist Atem wie Wind, Symbol des Heiligen Geistes, der alles erfüllt mit seiner Liebe und Weisheit, mit Freude und Frieden.

---

[6] Hier soll daran erinnert werden, daß die Wissenschaftler zwischen dem bewußten und dem vegetativen Nervensystem unterscheiden. Es gibt Körperfunktionen, die wir nur durch einen Willensakt vollziehen können, und andere, z. B. die Verdauung, den Herzschlag, den Stoffwechsel etc., die ohne unser willentliches Tun ganz automatisch ablaufen. Das Atmen steht in der Mitte zwischen beiden. Die meisten Menschen vollziehen es nicht bewußt, doch kann es sehr leicht bewußt gemacht, reguliert und unter die Kontrolle des Willens gebracht werden ... Wenn man sich des Atmens bewußt wird, wird man sich auch nach und nach des ganzen Leibes bewußt und lernt sogar den Leib zu steuern. Das Atmen ist das Tor zum Unbewußten.

Daher können Sie während des Atems die Worte sprechen: „Komm, Heiliger Geist", „Komm, Heiliger Geist", und so darum bitten, vom Atem des Geistes erfüllt zu werden. Wenn dies geschieht, sind Sie nicht nur vor sich selber gegenwärtig, sondern auch vor Gott und vor einer Welt, die von Gott erfüllt ist und in der Gott die tiefste Realität ist. Sie können ruhig in der Gegenwart Gottes verweilen und diese Worte innerlich sprechen – Sie können aber auch völlig wortlos bleiben. Ihr Atem wird vielleicht langsamer werden oder scheinbar ganz aufhören. Oder vielleicht kommt eine Zeit, da der innewohnende Geist Sie drängt auszurufen: „Jesus ist der Herr!" Solche Gebete, die auf das Drängen des Geistes hin aus der Tiefe aufsteigen, werden ab und zu im Neuen Testament erwähnt. „Abba, Vater!" ist eines davon. Wer vom Geist erfüllt ist, kann und muß diesen Geist den anderen mitteilen. Bedenken Sie, wie Jesus seine Apostel anhauchte mit den Worten: „Empfanget heiligen Geist" (Joh 20, 22). Können wir nicht einfach sitzen und allen Menschen guten Willens heilende Kraft zuatmen, indem wir ihnen den Heiligen Geist senden? Wir können unsern Freunden Liebe zuatmen, indem wir uns vorstellen, daß sie gegenwärtig sind und wir ihnen die Hände auflegen. Manche stellen sich gern vor, daß sie durch ihre Hände ausatmen, da sie durch diese symbolische Handlung den Heiligen Geist mitteilen. Ein weiterer Satz, der immer neu wiederholt werden kann, ist der des heiligen Paulus: „Für mich ist Christus das Leben" (Phil 1, 21). Für Paulus war das Leben Christus. Wir können dasselbe sagen. Das tiefgründige Geheimnis dieser Worte enthüllt sich nicht dem Gelehrten, sondern nur dem, der erleuchtet ist durch die Weisheit des innewohnenden Geistes. „Komm, Heiliger Geist."

III. Setzt euch aufrecht hin

Jesus spricht nicht nur über das Leben, sondern auch über den Leib: „Ist nicht der Leib mehr als die Kleidung?" (Mt 6, 25). Ja, der Leib ist wesentlich. Jeder Wissenschaftler wird Ihnen sagen, daß der menschliche Körper ein verwirrendes Geheimnis ist, das niemand ergründen kann. Jeder Theologe wird Ihnen sagen, daß der Leib Christi (ein Thema, das dem heiligen Paulus sehr am Herzen liegt) das Geheimnis der Geheimnisse ist. Und obschon auch japanisches Denken diese Geheimnisse niemals klären wird, kann es uns doch einen neuen Weg zu ihnen zeigen; es kann uns lehren, die kostbare Gabe, die wir menschlichen Leib nennen, zu erfahren und zu schätzen; es kann uns lehren, vor uns selber gegenwärtig zu sein, vor der Wirklichkeit und vor Gott durch den Leib.

Leibbewußtsein kann man durch Atmen durch die Fersen, wie ich schon angedeutet habe, erreichen. Es kann aber auch durch die Haltung erlangt werden. Dies ist eine der großen Künste der östlichen Welt. Sie hat ihre Wurzeln im Hatha Yoga mit seiner reichen Vielfalt an Körperhaltungen (Asanas), durch die der Mensch zur Erleuchtung gebracht wird. An erster Stelle steht dabei die Lotushaltung. Sie wird als „vollkommene Haltung" bezeichnet. Seit vorgeschichtlichen Zeiten wird sie in ganz Asien häufig angewandt. Sie ist in der Tat vollkommen. Wenn man sie einnimmt, werden Geist und Leib eins wie zwei Seiten einer Medaille und der Mensch in den Zustand vollkommener Befreiung gebracht.

In der Lotushaltung zu sitzen, ist eine Kunst, eine Fertigkeit, die Zeit braucht und Geduld und geistiges Training. Wenn wir aber die Kunst des Sitzens einmal gelernt haben, entdecken wir, daß schon diese Haltung allein Erleuchtung ist. Hier haben wir eine Art der Erleuchtung durch den Leib. Hören Sie noch einmal, was Shunryu Zuzuki über den Lotussitz sagt: „Diese Haltung in sich ist Sinn der Übung. Wenn Sie diese Haltung haben, haben Sie die rechte Gesinnung; deshalb ist es nicht notwendig, eine besondere innere Gesinnung anzustreben."[7] Noch einmal: „Die innere Verfassung, die da ist, wenn Sie in der rechten Haltung sitzen, ist in sich Erleuchtung."[8]

Es ist in der Tat eine Erleuchtung, im Lotussitz zu sitzen und zu erfahren, daß der Leib mehr ist als die Kleidung. Hier möchte ich einen Augenblick abschweifen, um eine Beobachtung anzuführen, die für das Thema von grundlegender Bedeutung ist. Man sagt manchmal, die östlichen Techniken sind wunderbare Hilfen zur Erlangung einer besseren Konzentration und schließlich Hilfen, um leichter die Nervosität und die Ängste des abendländischen Menschen zu beruhigen und abzubauen. Wenn das erreicht sei, könne der Mensch zum eigentlichen Gebet zurückkehren. Mit anderen Worten: Atmen und Haltung im östlichen Sinne werden als vorbereitende Übungen angesehen, als Vorbereitung für das Eigentliche.

Das ist ein abgrundtiefes Mißverständnis. Wir können vom Osten nicht nur vorbereitende Übungen lernen, sondern die Kunst des Gebetes. Mit anderen Worten: Atmen und Haltung im östlichen Sinne lehren uns, mit unserem Körper zu beten, mit unserem ganzen Sein. Gott hat schließlich den ganzen Menschen erschaffen, nicht nur den Geist. Er wollte von der ganzen

---

[7] *Shunryu Zuzuki,* Zen-Geist – Anfänger-Geist, a.a.O., S. 27.
[8] *Shunryu Zuzuki,* Zen-Geist – Anfänger-Geist, a.a.O., S. 29.

Person angebetet werden, nicht nur vom Geist. In den vergangenen Jahrhunderten ist das Gebet im Westen in unverzeihlicher Weise verintellektualisiert worden (obschon dies nicht so in der Kirche des Mittleren Ostens war, der Geburtsstätte des Hesychasmus). Doch jetzt lernen wir endlich erneut die Kunst, Gott anzubeten mit Geist und Leib und Atem. Wir lassen den Glauben nicht nur unseren Geist, sondern auch unsere Brust und unseren Hara und unseren Leib erfüllen. Dabei kann der Osten uns helfen.

Wie ich bereits erwähnt habe, ist es chinesisch-japanische Denkweise, den Schwerpunkt des Leibes in den Tanden zu verlegen, an den Punkt etwa drei Zentimeter unterhalb des Bauchnabels. Dort ist das Elixier des Lebens und der Ozean der Energie. Man sollte vom Tanden her atmen. Nicht in dem Sinne, daß der Atem wirklich in diese Region des Körpers vordringt, sondern in der Vorstellung, daß er es täte. Allmählich bekommt man dann ein Gefühl für den Tanden und damit zugleich Ausgeglichenheit und Harmonie und Ruhe, die die ganze Person erfüllen. Ein alter Zen-Meister[9] versichert im Zusammenhang mit der Bemerkung, der Tanden sei der Schrein des Göttlichen, daß das Leid der Menschheit durch den Mangel an Ausgeglichenheit verursacht würde. Er fährt dann damit fort, die Menschheit in drei Klassen zu teilen.

„Zur ersten Klasse gehören die, die nur ihren Kopf schätzen. Solche Menschen entwickeln immer größere Köpfe, bis sie umkippen und wie eine Pyramide stehen, das Obere nach unten gekehrt. Solche Menschen haben offensichtlich wenig Kraft oder Kreativität. Wie

---

[9] *Kosho Uchiyama Roshi,* Weg zum Selbst. Zen-Wirklichkeit. Otto Wilhelm Barth-Verlag, München 1973.

sollten sie in der Lage sein, das Gleichgewicht zu halten?

In der zweiten Klasse sind jene, die nur ihre Brust schätzen. Dies ist der militärische Typ, der asketisch und diszipliniert zu sein scheint, in Wirklichkeit aber leicht umzuwerfen ist.

Zur dritten Klasse gehören jene, die ihren Bauch oder Hara schätzen und ihre Kraft dort aufbauen. Dies sind die Menschen mit Ruhe, Frieden und Kraft. Sie sind (und dies ist ein altes östliches Ideal) die Menschen, die ihrer natürlichen Veranlagung folgen, ohne das Gesetz zu brechen. Mit Kraft im Hara zu sitzen, ist authentisches Zen."

Die Männer und Frauen, die die kriegerischen Künste wie Judo, Bogenschießen, Fechten und ähnliches ausüben, lernen es, ihre Aufmerksamkeit auf den Tanden zu richten und mit Festigkeit und Kraft zu stehen[10]. Wie alle, die Zen üben, tragen auch sie den traditionellen Hakama, dessen Schärpe gerade über dem Tanden gebunden wird. Es gibt verschiedene Formen der Tanden-Praxis. Eine davon ist die einfache Kunst, einen Tisch zu polieren – indem man es mit großen Kreisbewegungen tut und dabei die Aufmerksamkeit auf den Tanden und nicht auf die polierende Hand richtet, bis man allmählich ein Gefühl für den ganzen Körper bekommt und sich ganz lebendig fühlt.

So lernt man Körperbewußtsein und Haltung: man lernt zu sitzen, zu stehen, zu gehen, zu entspannen. Jede Handlung geschieht mit dem ganzen Leib. Es erübrigt sich zu sagen, daß dies nicht ein Vorrecht des Ori-

---

[10] Beachten Sie, daß ich sage „Männer und Frauen". Alles, was ich über Haltung und Atmung sage, richtet sich gleichermaßen an Männer und Frauen.

ents ist. Ich kenne westliche Pianisten, Maler und Schriftsteller, die aus ihren Hüften und aus ihrem ganzen Körper heraus agieren, nicht nur vom Kopf her. Während jedoch der Westen dieses Leibbewußtsein verloren hat, hat der Osten es unverdrossen über Jahrhunderte kultiviert.

Doch ist paradoxerweise der Höhepunkt der Tanden-Übung erreicht, wenn man, seinen Leib und sein Sein vergessend, dem Universum zu handeln erlaubt. Im traditionellen Bogenschießen gibt es ein Sprichwort, das besagt, das Loslassen des Pfeiles ist nicht die Tat des einzelnen, sondern die des Universums. Wer Zen lange Zeit geübt hat, kommt schließlich so weit, daß er sich nicht mehr um den Tanden oder das Atmen oder den Leib oder das Selbst kümmert. Er kommt zu der Erfahrung: „Nicht ich atme", sondern „das Universum atmet". Das Ich ist aufgegeben.

Ein anderes Ergebnis dieser Übung ist die Erfahrung der großen Weisheit des Körpers. Wessen Geist mit seinem Leib in Einklang gebracht ist, erfährt, daß der Körper ihm sagt, wann er essen, wann fasten, wann schlafen oder wachen, wann er arbeiten, wann er meditieren soll. Der Körper ist ein geheimnisvolles und wunderbares Instrument; er hat Kräfte und Möglichkeiten, von denen die westliche Wissenschaft keine Ahnung hat (obschon sie jetzt beginnt, ihre Existenz zu erahnen), Kräfte, die kein Computer besitzen kann. Aber wir müssen diesen Leib einüben, in Einklang mit ihm sein, auf seine Weisheit lauschen. „Ist nicht . . . der Leib mehr als die Kleidung?"

Konkret gesprochen: ein bestimmter Weg der Meditation ist es, eine der beschriebenen Haltungen einzunehmen, zum Leibbewußtsein zu kommen. Werden Sie sich Ihrer Hände, Ihrer Füße, Ihres ganzen Körpers bewußt, und wiederholen Sie dabei die Worte Jesu: „Ist nicht . . . der Leib mehr als die Kleidung?" Reflektieren Sie nicht über diese Worte. Kosten Sie sie nur aus, und genießen Sie sie im Bewußtsein, daß dieser Leib mehr ist als die Kleidung. Da die Worte, die Sie verwenden, aus der Bibel stammen, kommen Sie in Kontakt mit Jesus, und Ihr Gebet wird ein Gebet des Glaubens. Darüber hinaus kann das Wort „Leib" immer tiefer verstanden werden, wenn Sie sich das Geheimnis des Leibes Christi gegenwärtig halten (wiederum jedoch nicht auf diskursive Art): Dies ist der Leib, der eins geworden ist mit meinem Leib. „Wer mein Fleisch ißt und mein Blut trinkt, der bleibt in mir und ich in ihm" (Joh 6, 56). Dies ist der Leib, der ist „die Fülle dessen, der alles in allen zur Erfüllung bringt" (Eph 1, 23). So wie der Atem Jesu der Atem des Universums ist, so ist der Leib Jesu eins mit dem Universum. „Ist nicht der Leib mehr als die Kleidung?" Die Zeit kann kommen, da wir Leib, Atem und Ego und unser wahres Selbst vergessen und da unser wahres Selbst mit Paulus ausruft: „Ich lebe, jedoch nicht ich, sondern Christus lebt in mir" (Gal 2, 20).

IV. Ihr seid geliebt

Der erste Schritt der Meditation besteht darin, Angst und Furcht und alles Festhalten loszulassen. Ich habe die Worte Jesu zitiert: „Seid nicht ängstlich . . ."
Nun höre ich Sie sagen: „Schön und gut! Das klingt fein. Ist es aber überhaupt möglich? Kann ich denn Furcht und Angst loslassen? Jeder Psychologe wird Ihnen sagen, wie tief die Angst in der menschlichen Seele verwurzelt ist. Sie ist in das Gedächtnis eingeprägt und

geht zurück bis zum ersten Schrei nach der Geburt. Wenn wir in der Meditation die Schichten des Bewußtseins durchwandern, steigen neue Ängste – oder alte unterdrückte Ängste – auf. Und Sie sagen nur: sitzen und loslassen! Ist das wirklich so einfach?"

Dies ist ein wichtiger Einwand. Als Antwort möchte ich wieder die Bergpredigt zitieren. Sie betont einen außerordentlich wichtigen Punkt: den Glauben. „O, ihr Kleingläubigen" (Mt 6, 30). Jesus spricht von dem Glauben, der uns sagt, daß Gott für uns sorgt und uns beschützt; von dem Glauben, der weiß, daß wir geliebt sind. Du magst der größte Sünder der Welt sein, du magst die abscheulichsten Verbrechen begangen haben, dennoch wirst du geliebt von deinem Vater, der „die Sonne aufgehen läßt über Gerechte und Sünder" (Mt 5, 45). Ich kann die Ängste loslassen im Maß wie die Überzeugung, geliebt zu sein, wächst, sich vertieft und zur unerschütterlichen Quelle der Kraft wird.

Jesus drückt das poetisch aus. „Wenn Gott das Gras auf dem Felde, das heute steht und morgen in den Ofen geworfen wird, so kleidet, wieviel mehr euch, ihr Kleingläubigen" (Mt 6, 30). Dein Vater, der die Vögel in der Luft beschützt, wird dich noch mehr beschützen, denn du bist mehr wert als sie. Du bist unendlich wertvoll.

„Ich werde geliebt. Ich bin von großem Wert." Das anzunehmen, ist der größte Akt des Glaubens. Es ist bekannt, daß viele, zu viele Menschen sich selbst verachten, daß sie sich von nagender Schuld, von Sinnlosigkeit und Minderwertigkeit überwältigt fühlen. Zu ihnen sagt Jesus: „Seid nicht ängstlich. Ihr seid wichtig. Wenn schon die Blumen und die Vögel wertvoll sind, wieviel mehr wert seid ihr."

Dies ist von großer praktischer Bedeutung. Wenn Sie

sitzen und meditieren, erinnern Sie sich Ihrer persönlichen Würde. Erinnern Sie sich, daß Sie von großem Wert sind. „Ich bin O.K., du bist O.K." Um diese geistige Haltung zu unterstützen, ist es hilfreich, in einer Umgebung zu meditieren, die eine Atmosphäre innerer Sicherheit ausstrahlt. Es ist hilfreich, einen ruhigen Ort zu wählen und passende Kleidung zu tragen. Vor allem wird es Ihnen helfen, eine Haltung einzunehmen, die Ihrer Würde entspricht und Ihnen das Gefühl vermittelt, daß Sie O.K. sind. Dann können Sie still die Worte Jesu wiederholen, die ich gerade zitierte. Oder Sie können die Worte von Jeremia sprechen: „Ich habe dich mit einer nie endenden Liebe geliebt" (Jer 31, 3). Oder die Worte Jesu: „Betrübt euer Herz nicht; glaubt an Gott und glaubt an mich" (Joh 14, 1). Die Heilige Schrift ist voll von Sätzen, die uns sagen: habt Vertrauen und seid nicht ängstlich. „Seid ohne Angst. Ich bin es" (Joh 6, 20). „Gott ist Liebe" (Joh 4, 16).

Wenn man diese Worte genießt und sich schmecken läßt, tritt Glaube in Geist und Herz und Leib und Atem des Menschen ein. Er wird verbunden mit dem Sein. Manchmal wird es Augenblicke großer Freude und Befreiung geben, wenn jemand, befreit von Angst, mit Paulus ausrufen kann: „Er liebt mich und hat sich für mich hingegeben (Gal 2, 20).

Ich wiederhole: ich sage nicht, denkt über den Glauben nach, und reflektiert ihn. Ich sage: sitzt still, um die Liebe Gottes in der Tiefe des eigenen Seins zu empfangen. „Wenn du betest, plappere nicht, wie die Heiden es tun, die meinen, nur erhört zu werden, wenn sie viele Worte machen. Macht es nicht wie sie . . ." (Mt 6, 7). Der Glaube bedarf nicht vieler Worte. Wie ein Mann, der weiß, er wird von einer Frau geliebt, oder eine Frau, die weiß, sie wird von einem Mann geliebt, diese Überzeugung ständig, ohne Reflexion, in sich trägt, so braucht einer, der weiß, daß er von Gott geliebt ist, nicht viel darüber nachzudenken. Das Wichtigste ist, die unendliche Liebe, die angeboten ist, zu empfangen und nie aufzuhören, sie zu empfangen, die Liebe, die uns zu überfluten droht und vor der wir fliehen wie vor dem „Hund des Himmels"[11].

Die Grundlage christlicher Meditation ist die Kunst, Liebe anzunehmen. Wie ein Buch geschrieben wurde mit dem Titel „Die Kunst des Liebens"[12], so könnte ein anderes geschrieben werden über „Die Kunst, sich lieben zu lassen". Es würde die Menschen lehren, ihr Herz für die Liebe zu öffnen, für die menschliche und göttliche Liebe und ihr keinen Widerstand in den Weg zu legen. Das Hohe Lied spricht davon, die Tür für den Geliebten zu öffnen. Und Jesus sagt: „Seht, ich stehe vor der Tür und klopfe an. Wer meine Stimme hört und die Tür öffnet . . ." (Offb 3, 20). Wenn wir meditieren wollen, müssen wir die Kunst lernen, mit geöffneter Tür zu sitzen.

Laßt uns daran denken, daß die Liebe Gottes, die wir in der Meditation empfangen, uns mehr und mehr O.K. macht. Sie reinigt, sie erlöst, sie rechtfertigt (um den paulinischen Ausdruck zu gebrauchen) und macht uns heilig. Mystiker wie der Autor der „Wolke des Nichtwissens"[13] sagen uns, daß uns die Kontempla-

---

[11] „The Hound of Heaven" – berühmtes Gedicht des englischen Dichters *Francis Thompson* (1859–1907), das die Flucht der Seele vor Gott zum Thema hat.
[12] *Erich Fromm,* Die Kunst des Liebens. Ullstein Taschenbuch 35258, Berlin 1980.
[13] Anleitung zur Kontemplation aus dem England des 14. Jahrhunderts. Autor unbekannt. Heute weit verbreitet. Dt.: *Kontemplative*

tion schön macht, nicht nur in den Augen Gottes, sondern auch in den Augen von Männern und Frauen, die fähig sind, diese Art von Schönheit wahrzunehmen. Paulus nennt die Brüder „Heilige".

Ich habe über den christlichen Glauben gesprochen. Was für eine Rolle aber spielt der Glaube im Zen? Zweifellos glauben einige meiner Leser, im Zen käme Glaube nicht vor und wenig davon im Buddhismus überhaupt. Bekannte Literatur über diesen Gegenstand hat einen solchen Eindruck vermittelt. Sie betont mehr die menschlichen Möglichkeiten als den Glauben – weil das etwas ist, nach dem der Westen verlangt. Außerdem verkauft sich ein Buch über menschliche Fähigkeiten besser als eines über Glauben.

In Wirklichkeit aber ruht der Buddhismus auf Glauben. Das trifft vor allem für den „Reinen Land"-Buddhismus zu, der zu Beginn der christlichen Ära in Nordindien entstand und außerordentlich beliebt wurde in ganz Asien – „Reines Land" ist eine Religion des reinen Glaubens. Der Buddha Amida – so sagt man – hat einen Eid geschworen, alle fühlenden Wesen zu retten, die seinen Namen im Vertrauen anrufen. Mit anderen Worten, jemand, der den Namen im Glauben an Amida wiederholt – und diese Rezitation des Namens wird *nembutsu* genannt – wird vom bösen Karma befreit und im Reinen Land wiedergeboren. So existiert unter den Buddhisten dieser Richtung eine Form der Meditation, die lediglich im ständig wiederholten Anrufen des Namens besteht mit Hingabe, Ver-

Meditation. Die Wolke des Nichtwissens. Einführung und Text. Hrsg. v. Willi Massa. Matthias-Grünewald-Verlag, Mainz ⁵1980 (= Topos Taschenbuch 30). (Basiert auf der Ausgabe von *William Johnston* [Ed.], The Cloud of Unknowing, Doubleday & Co, New York 1973.)

trauen und Glauben an die Gnade Amidas und die
Wirkkraft seines Versprechens. Die Ähnlichkeit mit
dem christlichen Jesusgebet ist so offensichtlich, daß
ich mich darüber hier nicht auslassen brauche.

Auch im Zen ermahnen die Meister immer zum großen Glauben. Dieser Glaube ist zusammengefaßt in einem Spruch, der beständig im Tempel rezitiert wird
und folgendermaßen lautet:

> Ich setze meinen Glauben in Buddha.
> Ich setze meinen Glauben in Dharma.
> Ich setze meinen Glauben in Sangha.

Da Dharma das Gesetz bedeutet und Sangha die Gemeinde, könnte diese dreifache Anrufung eine Paralle-
le im christlichen Leben finden in dem Gebet:

> Ich setze meinen Glauben in Jesus.
> Ich setze meinen Glauben in die Heilige Schrift.
> Ich setze meinen Glauben in die Kirche.

Ich glaube, ohne diese drei Elemente als Grundhaltung
des Glaubens ist keine authentisch religiöse Meditation möglich.

Meine Leser werden die starke Betonung der heiligen
Bücher bemerken: die Sutras und die Bibel. Christen
und Buddhisten, die ernsthaft meditieren, müssen beständig ihre heiligen Bücher mit Liebe und Hingabe re-
zitieren. Ich betone auch die Gemeinde. Sie mag in der
Tat nur eine kleine Gruppe sein (vielleicht nur aus
Mann und Frau bestehen), aber sie ist Teil der größe-
ren Gruppe, der Kirche. Ohne sie gleitet die Meditation ab in den Nebel der Illusion.

Natürlich ist die buddhistische Art, vom Glauben zu

sprechen, oft verwirrend für den Uneingeweihten. Shunryu Zuzuki kann z. B. schreiben: „Ich habe entdeckt, daß es notwendig ist, absolut notwendig, nichts zu glauben. Das heißt, wir haben zu glauben an etwas, das keine Form und Farbe hat, an etwas, das existiert, ehe alle Formen und Farben erscheinen."[14] Wenn Zuzuki sagt, es sei notwendig, nichts zu glauben, dann meint er (und dies wird aus den darauf folgenden Seiten deutlich), daß es notwendig ist, sich an nichts zu hängen – daß man keine Idee von Gott und keine Gedanken über Gott haben könne. Es ist jedoch notwendig, an etwas zu glauben, das ohne Form ist. Zuzuki fordert hier etwas, das nahe an den reinen oder nackten Glauben des heiligen Johannes vom Kreuz herankommt. Ich kann hier nicht genauer darauf eingehen, denn die Auseinandersetzung mit dem buddhistischen „Nichts" würde zu weit vom Thema abführen.

Nun, offensichtlich sind buddhistischer Glaube und christlicher Glaube unterschiedlich, da der Buddha verschieden ist von Jesus und das Dharma von der Bibel. Nichtsdestoweniger haben sie etwas gemeinsam. Welches ist der gemeinsame Nenner?

Ich meine, es ist die innere Überzeugung, daß alles gut ist. Es ist klar, kein wirklicher Buddhist wird sagen, alles ist gut, weil Gott die Welt liebt; aber er lebt eine innere Sicherheit, gegründet auf der Überzeugung, daß alles richtig ist – eine innere Sicherheit, die durchhält mitten in Leiden, Erdbeben, Flut, Hunger und Krieg. Es sieht alles so schlimm aus, doch in Wirklichkeit ist alles gut. „Alles wird gut sein, und wie alles geschieht, wird gut sein", schrieb Juliana von Norwich; und ihr

---

[14] *Shunryu Zuzuki*, Zen-Geist – Anfänger-Geist, a.a.O., S. 124.

Refrain wurde von T. S. Eliot in die „Vier Quartette"
aufgenommen. Es ist ein Refrain, der gleichermaßen
durch die Meditation von Christen und Buddhisten
pulsiert.

Ein Christ, der meditieren möchte, soll also ständig
mit der Überzeugung sitzen: Alles ist gut, ich bin von
Gott geliebt. Er soll wachsen im reinen, nackten und
stillen Glauben, der ihn von Ängsten befreit.

V. Seid völlig aufmerksam

Wenn wir die Bergpredigt lesen, sollten wir tun, was Jesus sagt, anstatt über die Bedeutung der Worte lange
nachzudenken. Folgen Sie seinem Rat! Sie erinnern
sich, er sagt: „Schaut auf die Vögel des Himmels: Sie
säen nicht, sie ernten nicht und sammeln keine Vorrä-
te in Scheunen; euer himmlischer Vater ernährt sie.
Seid ihr nicht viel mehr wert als sie?" (Mt 6, 26), und:
„Was sorgt ihr euch um eure Kleidung? Lernt von den
Lilien, die auf dem Feld wachsen: Sie arbeiten nicht
und spinnen nicht" (Mt 6, 28). Nehmen Sie dies wörtlich. Schauen Sie das Gras, schauen Sie die Blumen,
schauen Sie die Vögel. Schauen Sie aber genau hin. Viele Menschen haben niemals etwas richtig angeschaut.
Während sie etwas sehen, denken sie zugleich an etwas anderes. Das Ergebnis ist, sie sehen nie die Schönheit, die sie umgibt, die Schönheit der Natur und die
Schönheit der Menschen. Im Zen gilt: „Nur schauen;
nur lauschen; nur sitzen." Das heißt nichts anderes
tun als schauen oder lauschen oder sitzen. Wir könnten es „reines Schauen" nennen. Wenn Zen sagt:
lauscht auf das Rauschen des Flusses, des Wasserfalls
oder auf den Regen oder was immer es sein mag, dann

lauschen Sie nur, und tun Sie nichts anderes als nur lauschen. Indem Sie das tun, werden Sie eins mit dem Gegenstand: Sie identifizieren sich mit ihm, Sie lassen ihr kleines Ich und entdecken Ihr wahres Selbst.

Diese Art der Meditation übte ich manchmal mit Studenten. Das von Smog verseuchte Tokio ist zwar nicht der geeignetste Ort der Welt, den Vögeln zuzusehen oder die Schönheit der Blumen zu bestaunen. Doch hat die Sophia-Universität einen kleinen Garten, wohin wir gehen konnten. Schweigend. Jeder nimmt dann einen Stein oder eine Blume oder etwas anderes aus der Natur – und schaut es an, berührt es, riecht daran, wird eins mit ihm. „Schaut die Vögel des Himmels . . ." (Mt 6, 26). Das griechische Wort *emblepo,* das im Text gebraucht wird, bedeutet kein zufälliges Schauen, so nebenbei, es bedeutet, gründlich zu schauen, in die Sache einzudringen, bis auf den Kern zu schauen. Mich erinnert dies an die Art, wie Zen-Meister ihre Schüler anleiten, ein Koan anzuschauen. Sie sollen es anschauen mit Geist und Leib, mit ihm ringen und eins mit ihm werden. Auf diese Weise öffnet sich das innere Auge, und der Mensch kommt zur Selbstverwirklichung.

Es wird berichtet, durch reines Hören auf jeden Laut habe Bodhisattva Kannon zur Erleuchtung gefunden. Der Name *Kannon,* ursprünglich *kanze-on,* bedeutet wörtlich: „der Mensch, der auf die Laute der Welt hört". So war Kannon ganz Ohr und vollkommen gegenwärtig der Wirklichkeit und ihren Lauten. Welch eine außerordentliche Wachheit oder Achtsamkeit! Es gibt noch eine zweite Bedeutung des Namens, die noch tiefer greift. Statt „der Mensch, der auf die Laute der Welt hört" kann man auch übersetzen: „derjenige, der auf die Schreie der Welt hört". Kannon hört also auf die Schreie der Armen, der Kranken und der Sterbenden. Kannon nimmt diese Schreie in die Tiefe des Seins auf und identifiziert sich mit ihnen. Dies ist Mitleiden, das ist Erleuchtung. Wenn wir Kannon nachahmten und derart auf die Schreie der Armen unserer Tage hören könnten, wie nah wären wir dem Reiche Gottes!

Doch kehren wir zur Bergpredigt zurück. Jesus fordert uns auf, die Lilien des Feldes zu betrachten und dann über unseren eigenen Wert und unsere Würde nachzusinnen. „Seid ihr nicht mehr wert als sie?" (Mt 6, 26). Wir könnten diese Worte rein kognitiv aufnehmen und uns mit den Lilien und Vögeln objektiv vergleichen. Wir kämen zum Ergebnis, daß wir auf den Stufen der Evolution eine Stufe höher stehen und deshalb natürlich wertvoller sind. Dann könnten wir über die große Liebe Gottes und seine Sorge für uns nachdenken und dadurch uns unserer Würde als Männer und Frauen bewußt werden. Das wäre ein diskursiver Zugang zum Text.

Aber können wir uns nicht auch demselben Text auf kontemplativem Wege nähern? Wir würden beim Meditieren der Lilie unseren wahren Wert erkennen. In der reinen Schau des Vogels werden wir eins mit ihm, und unser wirklicher Wert geht uns auf. Kehren wir wieder zum Zen zurück. Wenn ich dem Wasserfall lausche, kann ich einen Strahl der Erleuchtung erleben, nicht aufgrund der Schönheit des Wasserfalls, sondern weil ich ganz zum Lauschenden geworden bin. Schauen und Lauschen sind so Wege zur Selbstverwirklichung. Auch Jesus sagt, daß ich durch Erschauen der Lilie und das Verwandeltwerden zur Lilie mein wahres Sein erkenne. Ich erfahre, wie sehr mein Vater mich liebt und von welch großem Wert ich bin.

VI. Gebt Raum der Liebe

Alles, was bisher gesagt wurde, führt zu ein und demselben: zum kontemplativem Gebet. Darin laufen alle christlichen Wege zusammen. Hier möchte ich an das erinnern, was ich zu Beginn sagte: der wichtigste Lehrer des Gebetes ist der innere Meister. Das Gebet kann nicht vom Menschen allein gelehrt werden. Es ist ein Ruf, eine Berufung, eine Einladung, auf einen bevorzugten Platz beim Gastmahl der Liebe zu gelangen.

Die ersten Stufen des kontemplativen Gebetes sind charakterisiert durch die Erfahrung des Gegenwärtigseins – die Erfahrung, daß Gott nahe ist, daß er liebt, daß „wir in IHM leben, uns bewegen und sind" (Apg 17, 28). Der Autor der „Wolke" spricht von einer blinden Bewegung der Liebe, die im Herzen aufsteigt und einen in die Wolke des Nichtwissens zieht, jenseits aller Gedanken, Bilder und Vernunftschlüsse. Man wird durch die blinde Bewegung der Liebe (der hl. Johannes vom Kreuz nennt sie die lebendige Flamme der Liebe) auf eine Art gehalten, die dem Schweigen der Liebenden ähnelt, die keiner Worte bedürfen, da sie in intensiver Vertrautheit verbunden sind. Diese Regung der Liebe gebiert eine Weisheit, die uns lenkt, erleuchtet und uns sagt, was im täglichen Leben zu tun und zu lassen ist. Unter der Leitung der Liebe weiß man instinktiv, was in konkreten Umständen zu tun ist.

Wenn diese blinde Regung der Liebe im Herzen aufsteigt, muß man ihr in voller Freiheit folgen. Vielleicht vergißt man dabei die Aufmerksamkeit auf das Atmen, wie man zuerst das Reflektieren und Denken des diskursiven Verstandes vergaß. All das ist unter der Wolke des Vergessens begraben. Nun folgt man dem inneren Licht mit vollkommener Freiheit.

Von dieser Stufe schreibt Johannes vom Kreuz:

„Hier ist kein Weg mehr. Für den gerechten Mann gibt es keinen Weg. Er ist sich selbst Gesetz. Er trägt das Gesetz in sich."

Hier ist kein Weg.
Sich an Wege und Methoden zu klammern, ist wie sich fangen in einer Schlinge. Wenn die Zeit kommt, wenn wir die Stimme des Meisters, der an die Tür klopft, hören, müssen wir alle Methodengläubigkeit hinter uns lassen, um die Tür zu öffnen für den, der kommt und mit uns Festmahl hält.

Diese innere Bewegung der Liebe kann sich Ausdruck schaffen in Loben und Danken, Bitten, Vertrauen oder Lieben oder sonstwie. Sie kann aber auch völlig still und wortlos sein. Sie kann in liebendem Zwiegespräch bestehen – was die alten Autoren „liebenden Umgang/Intimität mit Gott" nennen; es kann aber auch sein, daß ich still und ohne Worte „meiner selbst entblößt und bekleidet mit Christus" bin und mich dem Vater anbiete für die Erlösung der Menschheit.

Obschon diese Erfahrung der liebenden Kontemplation oder des liebenden Erkennens viel mit Zen gemeinsam hat, glaube ich nicht, daß sie dasselbe ist. Ich glaube nicht, daß christliche Kontemplation und Zen ein und dieselbe Sache sind, und glaube, daß die meisten Zen-Meister (und vielleicht alle authentischen Zen-Meister) mir darin zustimmen. Zen spricht beispielsweise nie von Liebe. Manche christlichen Autoren sagen zwar, auch wenn im Zen nicht von Liebe gesprochen wird, sei es doch von Liebe erfüllt und habe nur eine andere Sprache. Früher dachte ich ebenso. Doch wenn ich diese Auffassung vertrat, traf ich nie einen authenthischen Zen-Schüler, der mir zustimmte.

Für ihn sind Gefühle der Liebe gegen Gott, der mein tiefstes und wahrstes Sein ist, eine Art Illusion, ein *makyo*.

Es ist jedoch wahr, wenn christliches kontemplatives Leben sich weiter entfaltet, wandelt sich auch das Erleben des Gegenwärtigseins und kann zum Erleben der Abwesenheit führen. Das Licht kann zur Dunkelheit werden, die Gefühle der Liebe können dahinwelken und austrocknen – dies jedoch geschieht nur im Zugehen auf den Höhepunkt hin, in dem man aufschreit: „Mein Gott, mein Gott, warum hast du mich verlassen?" (Mt 27, 46). Dann ist man in der Leere und Dunkelheit und im Nichts und in der Nichtigkeit. Hier treffen alle Wörter der östlichen Mystik zu. Dennoch bleibt ein tiefer Glaube an einen gegenwärtigen Gott, auch in dem Erleben seines Fernseins. Hier ist die blinde Bewegung der Liebe in der Tat ganz blind und dunkel geworden. Dennoch ist Liebe da. Der 22. Psalm, aus dem diese Worte stammen, endet daher mit einem Ruf der Freude, des Lobes und des Dankes:

Ich will deinen Namen den Brüdern verkünden;
in der Mitte der Gemeinde will ich dich preisen
(Ps 22, 22).

Dies sind die Worte eines Menschen, der durch die Wüste gegangen ist und erneut eine tiefe Erfahrung der Nähe und Gegenwart Gottes gemacht hat. Ich meine, der größte praktische Unterschied zwischen Zen und christlicher Kontemplation ist der, daß Zen Empfindungen der Liebe und Sehnsucht nach Liebe zu Gott als *makyo* und Illusion ansieht, während ich diese Empfindungen ansehe als solche, die zwar unvollkommen und unangemessen die Realität ausdrücken, aber trotzdem wahre, gültige und wertvolle religiöse Erfahrungen sind.

Hier stehen wir bei der eigentlichen Schwierigkeit: es ist etwas anderes, zu sagen, Gefühle und Gedanken von Gott seien unangemessen, als wenn man sagt, sie seien illusionär. Es ist etwas anderes, zu sagen, Gedanken und Gefühle müßten transzendiert werden, als: sie müßten abgetan werden. Der hl. Johannes vom Kreuz sagt ausdrücklich, daß Gedanken an Gott nicht Gott sind; Empfindungen und Gefühle von Gott sind nicht Gott; Vorstellungen von Gott sind nicht Gott. All dieses ist unvollkommen und muß zurückgelassen werden. Sie unvollkommen nennen bedeutet jedoch nicht, sie als falsch oder illusionär anzusehen. Wegen dieses feinen, aber wichtigen Unterschieds ist es für mich nicht möglich, „reines Zen" oder „buddhistisches Zen" zu praktizieren. Von Zen kann und will ich vieles lernen. Ich bin jedoch überzeugt, daß es nicht dasselbe ist wie christliche Kontemplation, zu der ich mich berufen fühle. Der Autor der „Wolke" mahnt ebenfalls zur Vorsicht, als er eine sehr feine Unterscheidung machte: „Achte hier sorgfältig auf die Irrtümer, ich bitte dich. Denke daran: je näher jemand der Wahrheit kommt, desto sensibler muß er dem Irrtum gegenüber werden."

Ich wende dies auf Zen und die christliche Kontemplation an. Gerade, weil die Unterschiede so fein und subtil sind, müssen wir wachsam sein vor einem Irrtum.

VII. Seid ohne Absicht

In der Bergpredigt warnt Jesus uns sehr ernst: „Achtet darauf, eure Frömmigkeit nicht vor die Menschen zu tragen, um von ihnen gesehen zu werden" (Mt 6, 1). Jesus spricht natürlich von solchen, die in den Synagogen oder an den Straßenecken stehen, um Lob und Aufmerksamkeit auf sich zu ziehen. „Wahrlich, ich sage euch, sie haben schon ihren Lohn" (Mt 6, 5).

Anerkennung, Lob und Erfolg zu suchen, sich im Erreichten zu spiegeln – das sind ganz natürliche menschliche Züge. Sie sind jedoch die gefährlichste Schlinge im geistlichen Leben. Sie sind die große Versuchung der Meditationsbewegung, die sich heute über die ganze Welt ausgebreitet hat. In der Meditationsbewegung wird nach vielfältigem Erfolg gesucht – Entfaltung der menschlichen Kreativität, Erfolg im zwischenmenschlichen Bereich, Erleuchtung oder innere Klarheit –, so daß es eine große Versuchung ist, in der Kirche oder an der Straßenecke auszurufen: „Ich habe Erleuchtung erfahren; ich habe die Prüfung bestanden. Hier ist mein Diplom." Darauf antwortet Jesus: „Wahrlich ich sage euch, ihr habt euren Lohn." Ihr seid jetzt bei Menschen anerkannt, wollt ihr auch Anerkennung von Gott?

Die Reinheit der Absicht wird in der ganzen östlichen Spiritualität seit der Bhagavadgita gefordert. Die Gita betont ständig etwas, das für Gandhi sehr entscheidend war: Wir sollten arbeiten, ohne die Frucht unserer Mühe zu erwarten. Mit anderen Worten, wir sollen uns dem rechten Handeln hingeben, ohne uns um Erfolg oder Mißerfolg zu kümmern; dieses Nicht-Verhaftetsein gibt uns eine Freude und eine Freiheit – als unerwarteten Lohn. Was die Gita vom Handeln sagt, gilt in noch größerem Maße für die Meditation. Versucht nicht, etwas zu bekommen; sucht nicht nach Ergebnissen. Schaut nicht nach Anerkennung aus. Ihr befaßt euch mit einem vollkommenen Tun, das sein eigener Lohn ist. Kurz: die Vollkommenheit des Tuns in vollkommener Freiheit ist das große Ideal.

Das gleiche Ideal liegt den traditionellen chinesisch-japanischen Kampfkünsten wie Bogenschießen, Fechten und Judo zugrunde. Wir modernen Menschen meinen natürlich, es ginge darum, die Zielscheibe zu treffen oder einen Gegner zu besiegen. Das stimmt nicht. Das Ziel ist vollkommenes Tun, vollkommene Befreiung, die Aufgabe des Selbst.

Der Pfeil wird genau ins Schwarze treffen, aber das ist nicht der Sinn der Übung. Es ist genau wie im richtigen Zen, wo man niemals Ergebnissen nachlaufen darf. Es gibt frühe Mönchsregeln, die den Mönchen sagen, sie sollten bewußt gute Werke tun, die von niemandem gesehen oder beobachtet werden. Das erinnert an das Wort: „Laß deine linke Hand nicht wissen, was deine rechte tut" (Mt 6, 3). Auch christliche Lehrer messen daher der Reinheit der Absicht außerordentliche Bedeutung bei. Der Grund dafür: christliche Meditation ist im Tiefsten Ausdruck der Liebe; in ihrer reinsten Form ist die christliche Meditation reine Liebe, uneigennützige Liebe. Wenn ich liebe, um einen Gewinn oder Vorteil daraus zu ziehen, dann ist meine Liebe noch unvollkommen. In einer seiner weniger bekannten Abhandlungen nennt der Autor der „Wolke" eine Frau unkeusch, weil sie ihren Gatten wegen seiner Güter liebt und nicht um seiner selbst willen. Dasselbe wäre der Fall, wenn wir Gott wegen der uns zufallenden menschlichen Energien oder der inneren Tröstung liebten; unsere Liebe wäre dann nicht rein (keusch). Vollkommene Liebe wie vollkommene Tat sind Lohn in sich und um ihrer selbst willen da. Deshalb kann Bernard von Clairvaux, der große Liebende, ausrufen: „Ich liebe, weil ich liebe, ich liebe, um zu lieben . . ." Wie grundverschieden ist dies von dem Ruf: „Ich liebe, weil ich erfahre, daß Lieben gut für mich ist!" Liebe kennt keinen Grund. Liebe sucht nach nichts. Deshalb ist Reinheit der Absicht die Mitte des christlichen Gebets. So wird es eine Verwirklichung des Gebotes, Gott aus ganzem Herzen und ganzer Seele zu lieben und den Nächsten wie sich selbst.

Literaturhinweise

PUBLIKATIONEN DER AUTOREN

Willi Massa (Hrsg.), Kontemplative Meditation. Die Wolke des Nichtwissens. Einführung und Text. Matthias-Grünewald-Verlag, Mainz ⁵1980 (= Topos Taschenbuch 30)

ders. (Hrsg.), Der Weg des Schweigens. Christliches Zen. Ein „Brief" zur Anleitung. Vom Autor der „Wolke des Nichtwissens". Verlag Butzon & Bercker, Kevelaer ³1979

ders., Schweigen und Wort. Vorträge zur Meditation im Stil des Zen. Verlag Butzon & Bercker, Kevelaer, 2. erw. Auflage, 1977 (auch ins Niederl. übersetzt: Ontwaak in de stilte. Verlag Patmos, Antwerpen/Amsterdam 1978)

ders., Logos und Mysterium. Über Einheit und Verschiedenheit westlicher und östlicher Mystik. In: Herrenalber Texte 15, 1979

ders., Zur Indikation verschiedener Meditationsformen. / Meditation und Individuation. Beide Aufsätze erschienen in: *Gerhard Ruhbach (Hrsg.),* Glaube – Erfahrung – Meditation. Kösel Verlag, München 1977 (Reihe Doppelpunkt)

ders., Gedanken zum Vater unser. Als Manuskript gedruckt. Beziehbar durch Meditationszentrum Neumühle, 6642 Mettlach-Tünsdorf

ders. (Hrsg.), Vorträge zu den Jahrestagungen des Vereins Exercitium Humanum e. V.:
– Christliche Spiritualität und der geistliche Impuls aus dem Osten. Jahrestagung 1978.
– Der Ruf nach dem Meister – große Gestalten der Mystik. Jahrestagung 1979.

– Wege zum Einen Weg. Der mystische Weg der Juden, Christen und Muslime im Zeichen des einen Gottes. Jahrestagung 1980.
– Menschliche Wirklichkeit und die Botschaft vom Drei-einen Gott. Jahrestagung 1982.
(Die Vorträge der Jahrestagungen sind alle zu beziehen durch: Meditationszentrum Neumühle, 6642 Mettlach-Tünsdorf.
Als Buchveröffentlichung erschienen die Vorträge der Jahrestagung 1981 unter dem Titel:)

ders. (Hrsg.), Die Höhle des Herzens. Mantra-Praxis und Namensgebet. Verlag Butzon & Bercker, Kevelaer 1982

ders., Von der Stille in der Erziehung. In: Welt des Kindes, Kösel Verlag, München. März/April 1980. S. 109–115

William Johnston SJ, Der ruhende Punkt. Zen und christliche Mystik. Herder Verlag, Freiburg ²1976

ders., Zen – ein Weg für Christen. Matthias-Grünewald-Verlag, Mainz 1977 (= Topos-Taschenbücher 56)

ders., Klang der Stille. Meditation in Medizin und Mystik. Matthias-Grünewald-Verlag, Mainz 1979

ders., The inner eye of love. Harper & Row, New York 1979

WEITERFÜHRENDE LITERATUR
(nur neueste Veröffentlichungen):

Karlfried Graf Dürckheim, Der Weg, die Wahrheit, das Leben. Erfahrungen auf dem Weg zur Selbstfindung. O. W. Barth Verlag, München 1982

Heinrich Dumoulin, Begegnung mit dem Buddhismus. Eine Einführung. Herder Verlag, Freiburg/Br. ²1982 (= Herder Taschenbuch 642)

Hugo M. Enomiya-Lassalle SJ, Wohin geht der Mensch? Benziger Verlag, Einsiedeln/Köln 1981

110

ders., Zen-Meditation. Eine Einführung. Heyne Taschenbuch, München 1982 (= Heyne Religion und Glaube
0013[36])

Hubertus Halbfas, Der Sprung in den Brunnen. Eine Gebets-
schule. Patmos Verlag, Düsseldorf 1981

Willigis Jäger, Kontemplative Meditation. Gottbegegnung
heute. Otto Müller Verlag, Salzburg 1982
(Der Weg in die Erfahrung nach Meister Eckhart und der
„Wolke des Nichtwissens")

Silvia Ostertag, Einswerden mit sich selbst. Ein Weg der Erfahrung durch meditative Übung. Kösel Verlag, München
1981

Günter Stachel (Hrsg.), munen musô – Ungegenständliche
Meditation. Festschrift für Pater Hugo M. Enomiya-Lassalle
SJ zum 80. Geburtstag. Matthias-Grünewald-Verlag, Mainz
[2]1980

Anhang

Neumühle

Ökumenisches Zentrum
für Meditation und Begegnung

Träger: Exercitium Humanum e. V.

Nach siebenjähriger intensiver Tätigkeit auf dem
Schaumberg, Tholey, hat die Arbeit von *Exercitium
Humanum e. V.* eine neue Heimat gefunden in der
Neumühle, 6642 Mettlach-Tünsdorf, im Dreiländer-
eck des westlichen Saarlandes.

Das ökumenische Zentrum für Meditation und Begegnung soll sein eine Stätte der Stille, der Meditation, der
Begegnung und der Schulung.

STÄTTE DER STILLE

„Ich erkannte, daß sie die Stille nötig hatten. Denn nur
in der Stille kann die Wahrheit eines jeden Wurzel
schlagen und Frucht ansetzen", sagt Saint Exupéry.
Abseits des Lärms, in geschützter Natur, mitten in
Wäldern am großen Mühlenweiher liegt das Haus.
Stille schenkt Besinnung und Klärung.

STÄTTE DER MEDITATION

Die lebendige Stille verdichtet sich in der Meditations-halle. Hier ist Raum geschaffen für die fruchtbare Be-gegnung mit sich selbst und der göttlichen Gegen-wart in schweigender Versenkung und Kontempla-tion.

Namhafte Meister und Lehrer der christlichen Spiri-tualität wie der Zen-Tradition bieten hier ihre Semina-re an. So finden Sie Einführung und Vertiefung in die Methoden der Meditation, vor allem in die großen For-men der Versenkungsmeditation (Kontemplation) in einer Vielfalt von Seminaren (von 2–18 Tagen). Die Se-minare sind wie folgt aufgebaut. Übungen zur Ent-spannung und Sammlung bereiten vor; Vorträge erläu-tern den Zusammenhang und motivieren; Medita-tionsübungen verschiedener Formen leiten zur inne-ren Vertiefung an. Erwartet wird vom Teilnehmer, daß er bereit ist, sich ganz in die Übung einzulassen.

Zu allen mehrtägigen Seminaren gehört täglich eine Stunde körperliche Arbeit in Haus und Garten als Übung der Sammlung im alltäglichen Tun.

STÄTTE DER BEGEGNUNG

– Begegnung zwischen den konfessionell getrennten Christen im Suchen nach dem gemeinsamen Grund unseres Christseins in Christus Jesus.

– Begegnung der Generationen und Gesellschafts-schichten. Hier bringt die Jugend ihre wahrhafte Su-che ein, hier entdecken sich Menschen jenseits der ge-sellschaftlichen Rolle, hier können sich Verstehen und Freundschaft entwickeln.

116

– Begegnung mit Menschen anderer Religionen, vor
allem des Zen-Buddhismus. Wir entdecken den Reichtum des göttlichen Lichts in der Menschheit, erfassen
tiefer die Botschaft Christi und gehen gemeinsam daran, dem heutigen Menschen zu helfen in seiner Suche
nach Sinn und Erfüllung.

STÄTTE DER SCHULUNG

Immer dringender wird die Ausbildung von Lehrern
der Meditation. Spezielle Seminare zur Weiterbildung
und Methodenreflexion widmen sich dieser Aufgabe.
Daneben bietet die Studienbibliothek Gelegenheit,
sich in das jeweilige Interessengebiet einzuarbeiten.

Exercitium Humanum e. V., der Träger des Zen-
trums, ist eine ökumenische Gruppe aus Christen der
drei großen Kirchen, der römisch-katholischen, ka-
tholisch-orthodoxen und evangelisch-protestanti-
schen. Es ist eine *ökumenische Gruppe,* die aus eigener Praxis erkannte, wie fruchtbar Meditation für den
heutigen Menschen ist, und die ihre Erfahrung den suchenden Menschen zur Verfügung stellt.
Geleitet wird das Haus von Eleonore und Dr. Willi
Massa. Zusammen mit auswärtigen Leitern aus Euro-
pa und Asien tragen sie die Seminararbeit.
Unterstützt wird die Arbeit von einem wachsenden
Freundeskreis (heute ca. 550 Personen). Die Mitglieder
des Freundeskreises erhalten als erste das neue Pro-
gramm und haben Vortritt bei allen Kursen. Sie werden über die Vorplanung und die neuesten Veröffent-

lichungen über Meditation informiert und zu besonderen Tagungen eingeladen.

Hinzu kommt die ehrenamtliche Mitarbeit unserer Au-Pair-Gäste und die Mitarbeit der Seminarteilnehmer in Haus und Garten. So ist es uns möglich, ohne offizielle Zuschüsse das Zentrum zu führen und dennoch die Preise so zu kalkulieren, daß viele unsere Seminare besuchen können. Jährlich finden um 1500 Menschen bei uns Einführung und Weiterführung in Meditation.

Ein wissenschaftliches Kuratorium, dem namhafte Wissenschaftler Europas und Asiens aus Theologie, Philosophie, Psychologie und Medizin angehören, gehen den Fragen nach, die sich aus der Praxis der Meditationsarbeit ergeben und widmen sich vor allem der Aufgabe der spirituellen Begegnung von Ost und West. Viele Publikationen der Mitglieder des Kuratoriums liegen schon vor. Unsere Buchhandlung besorgt Ihnen die gewünschte Literatur zur Meditation, Mystik und Kontemplation.

Postadresse ab Oktober 1982: Neumühle, 6642 Mettlach-Tünsdorf. Tel.: 0 68 68 / 2 25

MEDITATIONSHÄUSER,

die Zen-Meditation und kontemplative Meditation anbieten
(Auswahl; eine umfangreiche Adressenliste kann angefordert werden)

Deutschland:

Abtei Tettenweis
8399 Abtei Tettenweis (Nähe Passau)

Meditationshaus St. Franziskus
Klostergasse 8
8435 Dietfurt a. d. Altmühl

Albrecht und Silvia Ostertag
Landhaus
8959 Seeg/Allgäu

Communität Casteller Ring
Schloß Schwanberg
8711 Rödelsee

Zen-Haus Obermühle
8121 Habach (Zen-Mönch Mon-San)

Exerzitienhaus Schloß Fürstenried
8000 München 71

Diözesanhaus Vierzehnheiligen
8623 Staffelstein

Benediktinerabtei Münsterschwarzach
8711 Münsterschwarzach

Meditationszentrum
Benediktstraße 1
8700 Würzburg (P. Willigis Jäger)

Christliche Meditationsstätte Sonnenhaus
7792 Beuron 1/Donautal

Benediktinerabtei Neresheim
7086 Neresheim

Evangelische Akademie Bad Boll
7325 Bad Boll

Christl. Zen-Zentrum Eintürnen (D. Witt)
7954 Bad Wurzach 1

Abtei St. Erentraud
7981 Kellenried ü. Ravensburg

Existentialpsychologische Begegnungs-
und Bildungsstätte Rütte
Prof. Karlfried Graf Dürckheim
7867 Todtmoos-Rütte (Schwarzwald)

Zendo Frankfurt e. V.
Oberlindau 79
6000 Frankfurt

Kloster Marienborn
Weilburgerstraße 5
6250 Limburg

Dr. Anton und Marie Luise Stangl
Am Eichenhain
6121 Rothenberg/Odw.

Pallotti-Haus
Im Osterseifen 1
5960 Olpe

Bildungsstätte St. Michael, Steyl
Postfach 2460
4054 Nettetal 2

Abt. Spirituelle Dienste (P. Joh. Kopp SAC)
Burgplatz 3
4300 Essen

Arnold-Janssen-Haus (P. Dr. Josef Zapf SVD)
Arnold-Janssen-Str. 24
5202 St. Augustin 1 (bei Bonn)

Pfarrer Manfred Rompf
Kupferdreher Str. 125
4300 Essen 15 – Kupferdreh

Benediktiner-Missionare (P. M. Birk OSB)
Benediktstr. 19, Postfach 1180
2845 Damme

Evangelische Akademie
Loccumer Arbeitskreis f. Meditation
3056 Rehburg-Loccum 2

Evangelische Akademie Hofgeismar
Schlößchen Schönburg
3520 Hofgeismar

Norddeutsches Meditationszentrum
Haus Vogelshoye
2341 Falshöft

Ausland:

Kloster St. Georgenberg
A-6130 Fiecht/Tirol

Karl Obermeyer
Ramperstorffergasse 65, Pfarre St. Josef
A-1050 Wien

Bildungshaus Schloß Puchberg
Puchberg 1
A-4600 Wels

Haus der Stille
Kloster Rosental, St. Ulrich a. W.
A-8081 Heiligenkreuz a. Waasen

Max Finger
Leuern 15
CH-3250 Lyss
(Zazen in mehreren Bildungszentren)

Bildungshaus Bad Schönbrunn
CH-6311 Edlibach ZG

Kapuzinerinnen
Herrenweg 2
CH-4500 Solothurn

Bethanie/Centre de Recherche et Meditation
(R. u. Alph. Goettmann)
F-57960 Meisenthal

Foyer de Charité
F-67530 Ottrott (Elsaß)

„De Tildenberg"
International Grailcentre
Zilkerduinweg 375
NL-2114 Am Vogelenzang

Willi Massa (Herausgeber)

Die Höhle des Herzens

Mantra-Praxis und Namensgebet

Mit Beiträgen von Franz Xaver Jans, Martin Küpper,
Willi Massa und Siegfried Scharf

132 Seiten. Kartoniert. ISBN 3-7666-9254-2

In diesem Band sind fünf Vorträge vereinigt, die zum
Thema Mantra-Praxis, Namensgebet, Herzensgebet gehalten wurden, eine Gebets- und Meditationsmethode, die
von allen großen Religionen geübt wurde. Das Mantra ist
ein Name, eine Gebetsformel, die der Meditierende unab-
lässig, immer von neuem, wiederholt. Das soll bewirken,
daß sich das Bewußtsein sammeln kann und an die göttliche Wirklichkeit herangeführt wird, die im Namen
genannt wird. So wird dieser den Menschen an den Ort
der Begegnung mit dem Ewigen führen – ein Ort, von dem
die Tradition sagt, daß es das Herz, dies uralte Symbol, sei;
in den heiligen Schriften der Inder wird er Höhle genannt.
Für den heutigen Christen, für den Suchenden überhaupt,
kann diese Meditationspraxis eine Möglichkeit sein, die
zur Wandlung des eigenen Herzens führt – zu Erkenntnis
und Liebe.

Verlag Butzon & Bercker · D-4178 Kevelaer

Der Weg des Schweigens – Christliches Zen

Ein „Brief" zur Anleitung vom Autor der „Wolke des Nichtwissens"

Neu herausgegeben von William Johnston. Deutsche Ausgabe herausgegeben und eingeleitet von Willi Massa. Übertragen von Georga Willems. Geleitwort von P. Enomiya Lassalle SJ.

3. Auflage. 124 Seiten. Mit 6 Skizzen. Plastikeinband mit Schutzumschlag. ISBN 3-7666-8826-X

Ein reifes Spätwerk des Autors der „Wolke des Nichtwissens", das eine klare, nüchterne Führung gibt. Wer nach dem Sinn seines Lebens sucht, wessen Gebet und Glaube nach echter Lebendigkeit verlangt, wird durch diese Anweisungen auf einen Weg geführt, der beides schenkt.

Willi Massa · Schweigen und Wort

*Ich-Findung / Du-Findung / Gott-Findung
Vorträge zur Meditation im Stil des Zen*

Vorwort von Marcel Légaut. 2., erweiterte Auflage. 136 Seiten. Kartoniert. ISBN 3-7666-8972-X

Die Vorträge, anläßlich eines von strengem Fasten begleiteten Meditationskurses im Stil des Zen gehalten, kreisen um folgende Themen: Die Kraft der Stille / Das „Gesegnete Nichts" / Die drei Dimensionen der Meditation / Die großen Wege / Die Seinserfahrung / Die Freiheit und Mündigkeit / Das weckende Wort.

Verlag Butzon & Bercker · D-4178 Kevelaer